東大式!
クイズでわかる
世界史

末廣隆典

はじめに

本書をお手に取っていただきありがとうございます。
この本は、世界史の大学受験によく出る内容や間違えやすい内容などをクイズ形式で出題し、受験勉強はもちろん、世界史の知識を学びたい人が楽しみながら知識を身につけるための本です。
歴史は覚える用語や人名の数が多く、一つ一つ地道に暗記していくのがかなり大変です。用語集や単語カードなどを使って覚えるのが一般的だと思いますが、クイズという形式にすることで、楽しんで学習できるよう作成しました。一般的な学習参考書と異なり、「戦乱・事件」など五つの大きなテーマに分類し、それぞれで時代順になるように問題を並べているのも特徴です。
収録している問題は、試験によく出る内容や、似た言葉が複数あってこんがらかりそうなものなどを中心に250問作ってあります。また、「答え」だけでなく「問題文」にもキーワードを盛り込んでいるので、答えだけでなく問題文や解説にも着目し、適宜ご自身で調べながら読み進めていただくとより深く知識が定着していくと思います。一部の解説には地図や図説、ちょっとした豆知識なども入れています。こちらも学習する上で助けになると思うので、ぜひ活用してください。
なお、こちらの本は学生さんだけでなく、一般のクイズプレイヤーの皆さん、世界史を学び直したい人にも役立つよう作っています。歴史のクイズが苦手な方も、本書で一問でも多く答えられるようになっていただけるとうれしいです。
本書が皆さんの世界史の成績が向上したり、志望校に合格したりする一助になりましたら幸いです。学ぶことの楽しさを思い出す一冊になることを願っています。

目次

01

戦乱・事件

問001

紀元前264年から紀元前146年にかけて3回行われた、ローマが西地中海の覇権を得るためにカルタゴと争った戦いを何というでしょう？

問002

紀元前73年から紀元前71年にかけて、奴隷たちを率いて反乱を起こした、トラキア出身の剣闘士(けんとうし)は誰でしょう？

問003

紀元前31年、ギリシャ沖でオクタウィアヌスがアウレリウスらを破り、ローマの内乱状態を終結させた戦いを何というでしょう？

問004

紀元前209年、秦(しん)の始皇帝(しこうてい)の死後起こった農民反乱のことを、中心となった2人の人物の名前を取って何というでしょう？

問005

184年、太平道を創始した張角(ちょうかく)を中心として発生し、後漢の滅亡を招いた農民反乱を、彼らが身に着けていたものから「何の乱」というでしょう？

問006

290年から306年にかけて、西晋(せいしん)の初代皇帝・司馬炎(しばえん)の死後起こった内乱のことを、諸王が次々と政権を握ったことから何というでしょう？

答001

ポエニ戦争

解説

ポエニとはラテン語でフェニキア人のことで、カルタゴはアフリカ北部にあったフェニキア人の植民市でした。第1回ではローマがシチリア島を獲得し、第2回はハンニバルの活躍（第4章答004、P121参照）やザマの戦いが知られ、第3回でローマがカルタゴを壊滅させて終結を迎えました。

答002

スパルタクス

解説

18世紀以降、社会主義者や共産主義者から高く評価され、労働者階級の偶像的存在になりました。
なお、彼ら剣闘士が戦った円形闘技場をコロッセオ（コロッセウム）といい、現在でもローマに現存する観光スポットとして人気です。競技場を意味する「コロシアム」の語源でもあります。

答003

アクティウムの海戦

解説

歴史上有名な「海戦」はいくつかあります。
紀元前480年：サラミスの海戦（テミストクレスがペルシア艦隊を撃破）
1538年：プレヴェザの海戦（オスマン帝国がスペインなどの連合艦隊を撃破）
1571年：レパントの海戦（オスマン帝国がスペインなどの連合艦隊に敗れる）
1588年：アルマダの海戦（スペイン艦隊がイギリス海軍に敗れる）

答004

陳勝・呉広の乱

解説

この戦いを象徴する言葉に、陳勝がいった「王侯将相いずくんぞ種あらんや」があります。王位につくのに家柄が必要であろうか、つまり実力のほうが重要であるという意味です。

答005

黄巾の乱

解説

その名の通り、黄色い頭巾を頭に巻いていたことにちなんでこう呼ばれます。元末期に白蓮教徒が起こした「紅巾の乱」（こちらも赤い頭巾を巻いていたことにちなむ）と音が同じなので間違えないようにしましょう。

答006

八王の乱

解説

文字通り8人の王が現れました。この乱のあと間もなく西晋は滅亡し、五胡十六国時代に突入していくことになります。
ちなみに五胡十六国時代とは5つの民族によって国が乱立した時代で、304年の漢の建国から、439年に鮮卑が建てた北魏による華北統一まで続きました。

Question

問007

451年、アッティラ率いるフン族が、西ローマ帝国・西ゴート族らの連合軍と争った戦いを何というでしょう？

問008

732年、フランク王国とウマイヤ朝との間で起きた戦いを、舞台となったフランスの2つの地名をとって何というでしょう？

問009

751年、中国・唐とアッバース朝の間で起きた戦いのことを、ある川の名前を取って何というでしょう？

問010

755年から763年にかけて起こった、節度使（せつどし）という役職にあった人々が起こした反乱のことを、指導者2人の頭文字を取って何というでしょう？

問011

8世紀から15世紀にかけてキリスト教徒が行った、イスラム教徒からイベリア半島を奪還するための一連の運動のことを、総称して何というでしょう？

問012

843年、ルートヴィヒ1世の死後、その3人の子によってフランク王国を3つに分割することを定めた条約を何というでしょう？

答007

カタラウヌムの戦い［シャロンの戦い］

解説

西ローマ帝国はこの戦いで勝利こそするも勢力が弱体化し、476年、オドアケルが西ローマ皇帝ロムルス・アウグストゥルスを退位させたことによって滅亡することとなります。

答008

トゥール・ポワティエ間の戦い

解説

トゥールもポワティエもフランスの内陸部にある地名で、ピレネー山脈を越えて侵入してきたウマイヤ朝軍を、フランク軍が打ち破るという戦いでした。
この時フランク王国を勝利に導いたカール・マルテルはこれを機に台頭し、その後始まる「カロリング朝」の名の由来になりました。

答009

タラス河畔（かはん）の戦い

解説

この時、唐の紙漉（す）き工が捕虜になったことから、中国の製紙法がイスラム世界に伝わることとなったという点から、文化的にも非常に重要な出来事となりました。
なお、同じ751年にはフランク王国でカロリング朝が成立し、日本では最古の漢詩集『懐風藻（かいふうそう）』が作られており、歴史的な出来事が多い年でした。

答010

安史(あんし)の乱

解説

安禄山(あんろくざん)と史思明(ししめい)が中心になったためこう呼ばれています。これにより玄宗（第4章答011、P125参照）が退位し、唐王朝の衰退につながっていきます。

なお、節度使とは募兵(ぼへい)制によって集められた各地の傭兵(ようへい)を取りまとめる役割を持った指揮官で、この反乱の制圧によって権力を高めるようになりました。

答011

レコンキスタ［国土回復運動］

解説

「レコンキスタ」とはスペイン語で「再征服」という意味で、のちに現れる「コンキスタドール」（答022、P19参照）と同語源の言葉です。イスラム勢力によって西ゴート王国が滅亡したあとの718年、イベリア半島にアストゥリアス王国が建国されたことに始まり、1492年にグラナダが陥落したことで完了したとされています。

答012

ヴェルダン条約

解説

ルートヴィヒ1世はカール大帝の子にあたり、別名「敬虔王(けいけんおう)」とも呼ばれています。

このヴェルダン条約のあと、870年に締結されたメルセン条約により、中部フランクが東西フランク王国に再度割り当てられ、現在のドイツ・フランス・イタリアの原型が作られました。

問013

唐末期の875年に起き、唐の滅亡を決定的なものとした農民反乱を、指導者の名前から「何の乱」というでしょう？

問014

1077年、神聖ローマ皇帝のハインリヒ4世が、ローマ教皇のグレゴリウス7世に対して3日間雪の中で許しを請うた事件のことを何というでしょう？

問015

1126年から1127年にかけて起き、北宋（ほくそう）の滅亡を招いた事件のことを、当時の中国での年号から何というでしょう？

問016

1241年、バトゥ率いるモンゴル軍が、ドイツ・ポーランド連合軍を破った戦いを何というでしょう？

問017

1303年、教皇ボニファティウス8世がフランス国王フィリップ4世の側近にとらえられた事件を、その地名から何というでしょう？

問018

1339年から1453年まで続いた、イギリス・プランタジネット朝とフランス・ヴァロワ朝が争った戦争を、その期間の長さから何というでしょう？

Answer

答013

黄巣(こうそう)の乱

解説

答005（P7）の「黄巾の乱」と紛らわしいですが、こちらの「黄巣」は指導者であった塩の密売商人の名前です。
この黄巣の乱の中で勢力を伸ばした朱全忠(しゅぜんちゅう)が、唐を滅ぼして907年に後梁(こうりょう)王朝を建国し、これが五代十国時代の始まりとなりました。

答014

カノッサの屈辱(くつじょく)［カノッサ事件］

解説

聖職者を任命する権限をめぐる神聖ローマ帝国とローマ教皇との争い、いわゆる叙任権闘争(じょにんけんとうそう)を象徴する事件のひとつとして知られています。カノッサはイタリア北部にある山中の町で、ハインリヒ４世はここに建つカノッサ城の門の外で、雪が降る中３日間裸足で許しを請い続けたといわれています。

答015

靖康(せいこう)の変

解説

北宋の首都・開封(かいほう)が金からの攻撃を受け、北宋最後の皇帝・欽宗(きんそう)らがとらえられて滅びることとなりました。これを逃れた高宗(こうそう)は南京(なんきん)に移り、現在の杭州(こうしゅう)にあたる臨安(りんあん)を首都として南宋(なんそう)を建国しました。14世紀末に明の王室で起きた内紛である靖難(せいなん)の変と混同しないよう気をつけましょう。

解答

答016

ワールシュタットの戦い

解説

「ワールシュタット」とは、ドイツ語で「死体の山」や「死体の地」というような意味合いがある言葉で、のちにこの地から大量の死体が出てきたことから名づけられたといわれています。一方「レグニツァ」「リーグニッツ」とは、戦いが起きた現在のポーランドの地名です。

答017

アナーニ事件

解説

この事件の後ボニファティウス8世は急死し、怒りのあまり命を落とす「憤死(ふんし)」に陥った人物として知られています。
こののち、教皇庁がローマからフランスのアヴィニョンに移される「教皇のバビロン捕囚(ほしゅう)」という事件が起きました。

答018

百年戦争

解説

実際には114年間に及びましたが、長い期間であったことからこう呼ばれます。その期間の中には1346年のクレシーの戦いや1356年のポワティエの戦いなども含まれています。百年戦争で活躍した人物にはジャンヌ・ダルク（第4章答019、P132参照）やエドワード黒太子(こくたいし)などがいます。

Question

問019

1381年、ジョン・ボールの思想に基づいてイギリスで起きた農民反乱のことを、その中心となった人物の名前から何というでしょう？

問020

オスマン帝国の第4代スルタンであり、1396年のニコポリスの戦いなどで勝利を収めるも、1402年のアンカラの戦いでティムール軍に敗れ捕虜(ほりょ)となりそのまま亡くなったのは誰でしょう？

問021

百年戦争後の1455年にイギリス国内で発生した、ランカスター家とヨーク家の間で起きた争いを、ある花の名前をとって「何戦争」というでしょう？

問題

問022

1521年、ラテンアメリカにあったアステカ王国を滅ぼした、スペイン人航海士は誰でしょう？

問023

1648年、カルヴァン派にルター派と同等の権利を与えたり、スイスやオランダの独立が認められたりした、三十年戦争の講和条約は何でしょう？

問024

フェリペ5世のスペイン王位継承が認められた、1713年に締結されたスペイン継承戦争の講和条約は何でしょう？

答019

ワット・タイラーの乱

解説

ボールの言葉に「アダムが耕（たがや）しイヴが紡（つむ）いだとき、誰が貴族であったか」があり、平等主義思想を象徴するものとなりました。なお、同時期の1358年、フランスで起きた「ジャックリーの乱」と混同しないよう気をつけましょう。

答020

バヤジット［バヤズィト］1世

解説

軍事的な才覚に優れ、迅速な判断を行ったことから「イルディリム（稲妻の意）」などと呼ばれました。
しかしこのアンカラの戦い（アンゴラの戦いとも）に敗れたことにより、オスマン帝国は次のメフメト1世が帝位につくまで約10年間、皇帝が空位の状態になってしまいました。

答021

ばら戦争

解説

ランカスター家は赤いばら、ヨーク家は白いばらを紋章として用いていたことに由来します。どちらも百年戦争中に終焉（しゅうえん）を迎えたプランタジネット朝の傍系にあたります。
この戦争を収めたのはランカスター家の血を引くヘンリ7世で、彼は1485年にテューダー朝を建て、イギリス絶対王政の基礎を作りました。

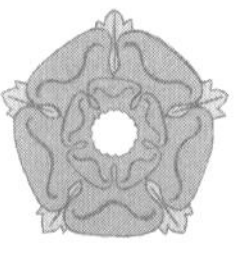

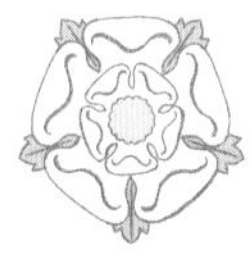

答022

（エルナン・）コルテス

解説

同じくインカ帝国を滅ぼしたピサロらとともに「コンキスタドール（征服者の意）」と呼ばれます。コルテス＝アステカ、ピサロ＝インカは文字数が同じという対応関係で覚えましょう。

答023

ウェストファリア条約［ヴェストファーレン条約］

解説

この条約でヨーロッパの主権国家体制が確立したことにより、神聖ローマ帝国の力が弱まり名目だけの存在となったことから「神聖ローマ帝国の死亡診断書」などと呼ばれます。

答024

ユトレヒト条約

解説

実際にはひとつの条約ではなく、フランスが各国と結んだ複数の条約を総称してこう呼びます。これによりフランスはスペインと将来合併しないことが定められた一方、イギリスはジブラルタルやニューファンドランドなど海外領土を数多く獲得し、国力を大きく伸ばすこととなりました。

問025

七年戦争のさなかである1757年、イギリス東インド会社がフランス・ベンガル太守(たいしゅ)軍を破った戦いを何というでしょう？

問026

1773年、イギリス東インド会社が決定した茶法に反対した急進派が、アメリカのある港に泊めてあった船から茶箱を海に投げ捨てた事件のことを何というでしょう？

問027

1789年、民衆によって襲撃され、これがフランス革命の発端(ほったん)となった牢獄(ろうごく)は何でしょう？

問028

フランス革命のさなかである1791年、ルイ16世一家が国外逃亡をくわだてるも、国境付近で見つかり連れ戻されてしまった事件を何というでしょう？

問029

1794年、ロベスピエールら山岳派の独裁に対して反発する勢力が起こし、事実上フランス革命が終焉(しゅうえん)を迎えたとされるクーデターを何というでしょう？

問030

1796年から1804年にかけて中国で発生し、これの鎮圧により清(しん)王朝の財政が困窮し社会不安を招いた事件を、中心となった宗教の名を取って何というでしょう？

Answer

答025

プラッシーの戦い

解説

この戦いでイギリス東インド会社の中心となったクライヴは、イギリスによるインド支配を推し進め、初代ベンガル知事も務めることとなりました。

答026

ボストン茶会事件

解説

ここでいう「茶」とは紅茶のことです。この事件をきっかけにアメリカ独立革命が始まっていきます。
ちなみに、茶法の前にイギリスが制定した法律に印紙法があります。こちらは「代表なくして課税なし」というスローガンのもと強い反対運動が起き、間もなく撤廃されました。

答027

バスティーユ牢獄

解説

そもそも「バスティーユ」自体が「要塞(ようさい)」を意味するフランス語です。現在はバスティーユ広場という観光地になっています。
ちなみにこの襲撃が起きた1789年7月14日はフランス革命勃発の日とされ、この日は現在のフランスでも革命記念日という祝日になっています。

解答

答028

ヴァレンヌ逃亡事件［ヴァレンヌ事件、ヴァレンヌ国王一家逃亡事件］

解説

こっそり夜逃げしていたところをかろうじて捕まったような印象を受けますが、実際には豪華な馬車や大量の荷物とともにゆっくりと移動していたため、簡単に見つかってしまったといわれています。

答029

テルミドール9日のクーデター

解説

この「テルミドール」とはフランス革命の時に使われた「フランス革命暦」における11番目の月です。同じくフランス革命暦が使われる世界史用語に「ブリュメール18日のクーデター」（ブリュメールは2番目の月）がありますが、こちらは1799年にナポレオン1世が総裁政府を倒したクーデターです。

答030

白蓮教徒(びゃくれんきょうと)の乱

解説

これにより、それまであった正規軍の八旗(はっき)や緑営(りょくえい)に代わって、郷勇(きょうゆう)という義勇軍が台頭し、湘軍(しょうぐん)を率いた曾国藩(そうこくはん)や淮軍(わいぐん)を率いた李鴻章(りこうしょう)らが実権を握るようになりました。ちなみに白蓮教自体は南宋の頃に成立し、天台宗にマニ教などが合わさって生まれたとされています。

問031

1815年に発生し、ナポレオン1世にとって最後の戦いとなった、フランスとイギリス・オランダ・プロイセン連合軍による戦いを、現在のベルギーの地名を取って何というでしょう？

問032

1825年、ナポレオン戦争に影響を受けたロシアの貴族将校らが起こした武装蜂起のことを、「十二月党員」という意味のロシア語から「何の乱」といったでしょう？

問033

1830年、ブルボン復古王政の国王シャルル10世が退位に追い込まれ、ルイ・フィリップが国王に即位した革命のことを「何革命」というでしょう？

問034

1840年から1842年にかけて中国・清(しん)とイギリスの間で起きた戦争のことを、イギリスから輸入されていたあるものが取り締まられたことがきっかけとなったことから何というでしょう？

問035

洪秀全(こうしゅうぜん)らを中心として1851年から1864年にかけて起き、清(しん)王朝に大きなダメージを与えた争いを何というでしょう？

問036

アメリカ南北戦争において、南軍の総司令官を務めたのはリーですが、北軍の総司令官を務めたのは誰でしょう？

答031

ワーテルローの戦い

解説

いわゆる「ナポレオン戦争」の主な戦いには以下のようなものがあります。
1805年10月：トラファルガーの海戦（イギリスのネルソン提督が活躍）
1805年12月：アウステルリッツの戦い（別名「三帝会戦」）
1813年：ライプツィヒの戦い（別名「諸国民戦争」）

答032

デカブリストの乱

解説

発生したのが1825年12月14日で、ロシア語で12月を意味する「デカーブリ」にちなんでこう呼ばれるようになりました。ナポレオン戦争を通して西欧の自由主義に触れた青年士官たちが、皇帝ニコライ1世が即位するその日に、専制打倒や農奴制解体などを掲げて集会を開くも鎮圧されてしまいました。

答033

（フランス）七月革命

解説

ドラクロワの有名な絵画『民衆を導く自由の女神』はこの革命を描いたものです。なお、この時即位したルイ・フィリップは、1848年に起きた「二月革命」によって失脚することとなります。1917年にロシアで起きた「（ロシア）二月革命」「（ロシア）十月革命」との混同に気をつけましょう。

答034

アヘン戦争

解説

清は一度アヘン貿易を禁止しましたが、それがかえって密貿易を増やす結果となったため、官僚の林則徐（りんそくじょ）が中心になって取り締まりを強化しました。これによりアヘン戦争が発生し、敗れた清は南京条約を締結することとなります。なお、1856年から1860年にかけて清とイギリス・フランス連合国間で起きた戦争を「アロー戦争」といいますが、アヘン戦争の延長にあたることから別名「第二次アヘン戦争」ということもあります。

答035

太平天国（たいへいてんごく）の乱

解説

洪秀全は拝上帝会（はいじょうていかい）という宗教結社を作り、自らを天王と称して太平天国という国を建てました。「滅満興漢（めつまんこうかん）」というスローガンを掲げたことでも知られています。
同じく清王朝末期で起きた事件に1900年～1901年の義和団（ぎわだん）事件があります。こちらは宗教結社・義和団により「扶清滅洋（ふしんめつよう）」というスローガンのもと行われたものです。

答036

（ユリシーズ・）グラント

解説

南北戦争は、序盤こそ南軍有利であったものの、人口や経済力でまさる北軍がすぐに逆転し、最終的にリーがグラントに降伏する形で終結しました。グラントはその後第18代アメリカ大統領に就任しましたが、大統領としては多くのスキャンダルや汚職事件を起こしたことで評判を落とすこととなりました。

問037

1878年、ロシア・トルコ戦争の講和条約として締結され、ルーマニア、セルビア、モンテネグロの独立が承認された条約は何でしょう？

問038

1894年から1899年にかけて、ユダヤ系のフランス人大尉にスパイの疑いがかけられるものの、のちに冤罪（えんざい）であることが判明した事件のことを、その軍人の名を取って何というでしょう？

問039

日露戦争中の1905年、民主化と戦争中止を求める市民のデモに対し、ロシア軍が発砲した事件のことを何というでしょう？

問040

1907年、韓国皇帝の高宗が、第2回万国平和会議に密使を派遣し、日本による保護条約無効を列国に訴えようとした事件のことを、その開催地となったオランダの地名を使って何というでしょう？

問041

1914年6月28日、オーストリア・ハンガリー帝国の帝位継承者フランツ・フェルディナント夫妻が暗殺され、第一次世界大戦勃発のきっかけとなった事件は何でしょう？

問042

1919年、日本に統治されていた朝鮮で起きた、日本の支配に対する独立運動を、その日付にちなんで何というでしょう？

答037

サン・ステファノ条約

解説

これによりロシアが地中海進出を図る「南下政策」が成功したかと思われましたが、その直後、ビスマルクを調停役としてベルリン会議が開かれ、一部内容を変更したベルリン条約が締結されたため、南下政策は頓挫（とんざ）することとなりました。

答038

ドレフュス事件

解説

日本で2022年に公開された映画『オフィサー・アンド・スパイ』の原案にもなっている冤罪事件で、この事件によりキリスト教世界に反ユダヤ主義が根強く残っていることが再認識され、ユダヤ人国家の建設を目指すシオニズム運動が始まるきっかけとなりました。なお、フランスでは同時期の1887～1889年に陸軍大臣を中心とした政治運動であるブーランジェ運動も起きており、混同に注意が必要です。

答039

血の日曜日事件

解説

事件が起きたロシア暦1905年1月9日（西暦では22日）が日曜日であったことに由来します。この事件がきっかけで第一次ロシア革命が始まりました。
なお、このほかにも日曜日に起きた残酷な事件を「血の日曜日事件」と呼ぶことがあり、1972年には北アイルランドで、1973年にはタイで起きています。またいわゆる天安門事件（答050、P39参照）も、日曜日であったことからこう呼ぶ場合があります。

答040

ハーグ密使事件

解説

密使の会議参加はロシアをはじめとする参加国から拒絶されてしまい、ビラ撒きなどの抗議行動を行ったものの具体的な成果は得られず失敗に終わりました。これを口実として高宗は退位させられ、第三次日韓協約が強制的に締結されて韓国における日本の支配権が強まることとなりました。

答041

サライェヴォ［サラエボ］事件

解説

このサライェヴォ（サラエボ）は、現在のボスニア・ヘルツェゴビナの首都となっている都市です。オーストリアの陸軍演習のためにサライェヴォを訪れた夫妻を、セルビア人青年のプリンチプが狙撃したことにより、オーストリアはセルビアに対して宣戦布告を行いました。

答042

三(さん)・一(いち)運動［三・一独立運動］

解説

その名の通り3月1日に起き、ソウルで独立運動が発せられると「朝鮮独立万歳」と叫ぶ運動が朝鮮全土に広まっていき、日本の弾圧を受けても継続されました。
同じく1919年5月4日に中国の北京(ペキン)で起こった政治運動の「五(ご)・四(し)運動」と混同しないようにしましょう。

Question

問043

第一次世界大戦後、連合国とオーストリアの間で締結され、チェコスロヴァキアなどの独立が承認された条約は何でしょう？

問044

1931年、関東軍が南満州鉄道を爆破し、満州事変の発端となった事件のことを、これが起きた湖の名前を取って「何事件」というでしょう？

問045

第一次世界大戦後に非武装とすることが定められたドイツ・フランスの国境にある地域で、1936年、仏ソ相互援助条約の締結とロカルノ条約破棄を口実としてアドルフ・ヒトラーが進駐したのはどこでしょう？

問046

第二次世界大戦中にナチス・ドイツが行った、600万人ものユダヤ人が虐殺された事件のことを、ギリシャ語由来の言葉で何というでしょう？

答043

サン・ジェルマン条約

解説

第一次世界大戦の講和条約には、ドイツとの間で結ばれたヴェルサイユ条約、ブルガリアとの間で結ばれたヌイイ条約、ハンガリーとの間で結ばれたトリアノン条約、オスマン帝国と結ばれたセーヴル条約などがあります。

答044

柳条湖（りゅうじょうこ）事件

解説

これを調査するために国際連盟から派遣されたリットン調査団の写真も有名です。
1937年に起きた日中両軍の衝突事件「盧溝橋（ろこうきょう）事件」と間違えないようにしましょう。

Answer

答045

ラインラント

解説

ラインラントとはドイツのライン川沿岸の地域のことで、アーヘンやケルンなどの都市が位置し文化的・工業的に栄えた地域であったことから、ドイツ・フランス間でしばしば係争が起きていました。進駐後、国際連盟などから批判の声は上がったものの、ほぼ既成事実のような形でドイツ軍が駐留するようになりました。

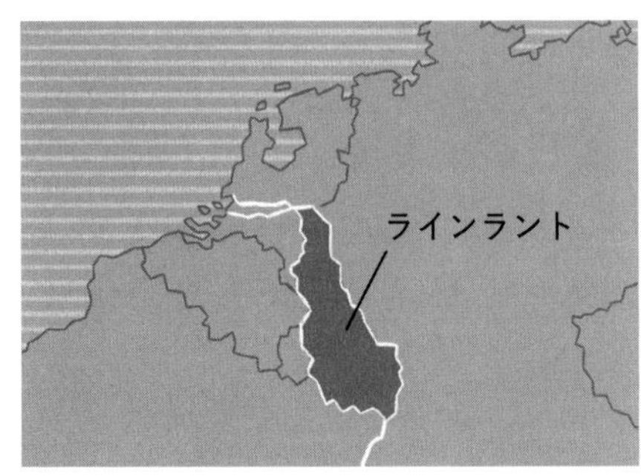

答046

ホロコースト

解説

特に多くのユダヤ人が殺害されたアウシュヴィッツの強制収容所は「負の世界遺産」を代表する施設として知られています。
なお、「ホロコースト」にはもともとはギリシャ語で「供物(くもつ)を焼いてささげること」というような意味があり、『旧約聖書』にも登場する言葉でした。似たような意味合いの言葉に「ジェノサイド」がありますが、こちらはユダヤ系ポーランド人のレムキンがギリシャ語とラテン語の合成語で生み出した造語です。

Question

問047

第二次世界大戦において、ドイツ・イタリア・日本の3国とその同盟諸国による勢力のことを何といったでしょう？

問048

戦線が北上と南下を繰り返したことから「アコーディオン戦争」とも呼ばれる、1950年に発生し1953年に休戦協定が結ばれた戦争は何でしょう？

問049

1962年、アメリカとソ連の間で戦争が起こることが危惧（きぐ）された対立のことを、その中心となった中米の国の名前を取って何というでしょう？

問050

1989年の中国で、民主化を求める学生や市民が人民解放軍により鎮圧された事件のことを、その舞台となった広場の名前から何というでしょう？

答047

枢軸国（すうじくこく）

解説

1940年に結ばれた日独伊三国同盟を中心とする国々のことです。「枢軸」という言葉自体には「開き戸や車を回転させるための仕掛け」や「政治などの中心」といった意味があり、1936年にイタリアのムッソリーニが演説で使った「ローマ・ベルリン枢軸」という表現に由来してこう呼ばれるようになりました。なお、枢軸国と交戦したアメリカ・ソビエト・中国などの国々のことは「連合国」といいます。

答048

朝鮮戦争

解説

韓国軍を支援するためにアメリカを中心とした国連軍が出動し、それに対して中国が義勇軍を派遣するなど、第二次世界大戦後の世界全体を巻き込むような戦争となりました。
なお、板門店（はんもんてん）（パンムンジョム）で結ばれた休戦協定により北緯38度線付近の軍事境界線が設定されましたが、あくまで「休戦」状態であり、いまだ戦争は終結していません。

Answer

答049

キューバ危機

解説

キューバでは直前の1959年、当時のバティスタ政権がカストロやゲバラらによって打倒されるキューバ革命が起きたばかりで、アメリカと断交し社会主義国となる宣言をしたところでした。
ソ連がキューバにミサイル基地を作ろうとしたことにアメリカが対立の姿勢を見せましたが、ソ連が基地建設を取りやめたことによって回避されました。これ以降、米ソ両国首脳間に直接電話回線を設けるホットライン協定が締結されました。

答050

天安門（てんあんもん）事件［六四天安門事件、第二次天安門事件］

解説

戦車の前に立ちふさがる青年の写真（通称「無名の反逆者」「タンクマン」）などが広まり、世界的に問題視される事件となりました。
この事件の責任を問われた中国共産党総書記・趙紫陽（ちょうしよう）は失脚し、江沢民（こうたくみん）が就任することとなります。
なお、中国ではこの事件は情報統制されており、事件の起きた年を表す「89」や月日を表す「64」という数字などは、ネット検閲の対象になっているとされています。

MEMO

02

政治・法令

Question

問001

紀元前5世紀頃、それまで慣習的になっていたものを成文化する形で制定された、ローマ最古の成文法を何というでしょう？

問002

古代ギリシャにおいて、自民族のことを「ヘレネス」といったのに対し、他民族のことをいった言葉は何でしょう？

問003

古代ギリシャにおけるポリスで、独裁的な僭主(せんしゅ)が出現するのを防ぐため、僭主になるおそれがある人物を市民の投票によって選出した制度を何というでしょう？

問004

古代ローマにおいて、貴族層のことを「パトリキ」といったのに対し、平民層のことを何といったでしょう？

問005

兄はティベリウス、弟はガイウスという、古代ローマで護民官として改革を試みるも、反対派により命を落とした兄弟は「何兄弟」でしょう？

問006

古代ローマにおいて、ポンペイウス、カエサルとともに第1回三頭政治を行った政治家は誰でしょう？

Answer

答001

十二表法

解説

古代ローマの法律としては他に、紀元前367年成立のリキニウス・セクスティウス法（コンスルの1人は平民より選出することなどを定めた）、紀元前287年成立のホルテンシウス法（平民会での決議は元老院の承認を得ずとも国法となることなどを定めた）が知られています。

答002

バルバロイ

解説

もともとは「わけのわからない言葉を話す者」という蔑称でした。現在の英語で野蛮人を意味する「バーバリアン」という言葉の語源となりました。

ちなみに「ヘレネス」はギリシャ神話における英雄ヘレンの子孫であると考えられていたことに由来します。

答003

陶片追放

解説

この時使った陶器のかけらのことを「オストラコン」といったため、「オストラシズム」や「オストラキスモス」とも呼ばれます。制度の内容としては、6000票以上の投票があった場合に最多得票者が10年間国外追放されるという内容であったなどといわれており、実際に追放された例は極めて少なかったとされます。

答004

プレブス

解説

プレブスはパトリキによる公職独占に対抗し、身分闘争を展開しました。その後プレブスの上層はパトリキと結びつき、ノビレスという新たな貴族層を作りました。

答005

グラックス兄弟

解説

彼らの時代から、アクティウムの海戦を経てオクタウィアヌスがアウグストゥスという称号を受け、プリンキパトゥス（元首政）が成立して帝政ローマが始まるまでの約100年、同盟市戦争などが発生しローマ社会が混乱した時期のことを「内乱の1世紀」といいます。

答006

クラッスス

解説

クラッススは紀元前53年にパルティア遠征によって命を落とし、それを機に第1回三頭政治は解消となりました。
その後、アントニウス、レピドゥス、オクタウィアヌスの3人によって第2回三頭政治が行われました。それぞれの人名が似通っているため、混同しないように気をつけましょう。

問007

54年から68年にかけて在位したローマ皇帝で、64年に起きたローマ大火の犯人がキリスト教徒であったとして、キリスト教徒を迫害したことから「暴君」と呼ばれるのは誰でしょう？

問008

パルティアのミトラダテス1世により建設され、次のササン朝でも首都となった、チグリス川東岸にあった古代都市は何でしょう？

問009

379年から395年まで在位したローマ皇帝で、彼の死後ローマ帝国が東西に分裂したため、分裂前最後の皇帝となったのは誰でしょう？

問010

インド初の統一王朝マウリヤ朝において最盛期を築いた第3代の王で、仏教に深く帰依（きえ）し、第3回仏典結集（ぶってんけつじゅう）を行ったことでも知られるのは誰でしょう？

問011

インド・クシャーナ朝の全盛期の王で、第4回仏典結集を行ったことや、ローマとの交易を積極的に行ったことで知られるのは誰でしょう？

問012

紀元前3世紀に東胡（とうこ）や月氏（げっし）らを破ってモンゴル高原を統一した、匈奴（きょうど）の全盛期を築いた人物は誰でしょう？

答007

ネロ

解説

ネロには暴君の側面があった一方、歌手や芸人に憧れを抱いている節もあったとされており、2023年にはネロの私設劇場の遺跡も発掘されています。なお4世紀のディオクレティアヌス帝もキリスト教徒に対して大規模な迫害を行った人物として知られています。ちなみに、製菓メーカー東ハトのスナック菓子「暴君ハバネロ」は唐辛子の品種・ハバネロと彼の名前をかけてつけられたものです。

答008

クテシフォン

解説

対岸にあったセレウキア（セレウケイア）とともに、メソポタミア文明における政治・経済の中心地として栄えました。イスラム勢力の支配下にあった時に破壊されたため現在は遺跡となっており、第一次世界大戦ではこの付近で「クテシフォンの戦い」が起きました。

答009

テオドシウス帝［テオドシウス1世］

解説

392年にはキリスト教を国教として異教信仰を禁じたことでも知られています。

東ローマ帝国はテオドシウスの長男アルカディウスから、西ローマ帝国は次男ホノリウスから始まりました。なお、西ローマ帝国は476年にオドアケルによってすぐ滅亡してしまいました。

答010

アショーカ王

解説

仏典結集とは、主に口頭で語り継がれていた釈迦の教えを取りまとめる編集事業のことです。
なお、マウリヤ朝を創建したのはチャンドラグプタ王で、その後グプタ朝を創建したチャンドラグプタ1世とは別人です。

答011

カニシカ王

解説

答010のアショーカ王と混同しやすいので注意しましょう。彼の頃、都がマウリヤ朝の都パータリプトラからプルシャプラに移されました。
なお、カニシカ王の時発展したのがガンダーラ美術で、インド古来の仏教美術にギリシャ風の技術が融合した独特の仏像などが作られるようになりました。

答012

冒頓単于（ぼくとつぜんう）

解説

「単于」とは、匈奴などの騎馬遊牧民の国家で用いられた君主の称号です。冒頓単于は紀元前200年には白登山（はくとさん）の戦いにおいて前漢の劉邦（りゅうほう）を包囲するなど勢力を拡大し、彼の死後もしばらく匈奴はその権力を維持していたとされます。

Question

問013

中国の三国時代を構成する3つの国のうち、劉備が建国したのはどれでしょう？

問014

三国時代の魏で始まり隋まで使用された、各地に派遣された担当者が人材を9段階で評価する、官吏登用制度を何というでしょう？

問015

265年、中国の西晋王朝を創建し初代皇帝となった人物は誰でしょう？

問題

問016

313年、ローマ皇帝コンスタンティヌス帝がすべての宗教の信仰の自由を認めた勅令を「何勅令」というでしょう？

問017

325年に開催され、アタナシウス派を正統、アリウス派を異端としたキリスト教の公会議は何でしょう？

Answer

答013

蜀(しょく)

解説

軍師として有名な諸葛亮孔明(しょかつりょうこうめい)が仕えたことでも知られています。他の国は曹操(そうそう)が建国した魏(ぎ)、孫権(そんけん)が建国した呉(ご)です。成立した順だと魏→蜀→呉ですが、滅亡した順だと蜀→魏→呉になります。

答014

九品中正法(きゅうひんちゅうせいほう)［九品官人法］

解説

この制度により豪族が上級官吏を独占し門閥(もんばつ)貴族と呼ばれる人々が出てきたため「上品に寒門(かんもん)なく、下品(かひん)に勢族(せいぞく)なし」などと風刺されました。

隋の時代に科挙(かきょ)に取って代わられ、科挙は清(しん)の時代まで長年採用されていました。

答015

司馬炎(しばえん)

解説

「司馬」という苗字を持つ中国史上の有名な人物には、他にも以下のような人物がいます。

司馬遷(しばせん)：『史記(しき)』を著した前漢の歴史家
司馬睿(しばえい)：西晋の滅亡後、東晋(とうしん)を創建した政治家
司馬光(しばこう)：『資治通鑑(しじつがん)』を著した北宋(ほくそう)の政治家

答016

ミラノ勅令

解説

実際に発令されたのはミラノではなくニコメディアという都市であったとされています（コンスタンティヌス帝がリキニウス帝と会談したのがミラノだとされる）。
歴史上有名な勅令にはほかに、1598年に発布された「ナントの勅令（王令）」（アンリ4世が新教徒に信仰の自由を認めた）や1839年に発布された「ギュルハネ勅令」（アブデュルメジト1世が宗教によらず法のもとの平等を認めた）などがあります。

答017

ニケーア公会議

解説

公会議とは、世界中の教会から代表者が集まるキリスト教の最高会議で、最初に行われたのがニケーア公会議です。他に有名な公会議には以下のようなものがあります。
431年：エフェソス公会議（ネストリウス派を異端とした）
451年：カルケドン公会議（単性論≪キリストに神性のみを認める説≫を異端とした）
1414～1418年：コンスタンツ公会議（教会大分裂を終結。ウィクリフとフスを処刑）

問018

イスラム王朝において、異教徒が支払うことを強制された人頭税のことを何というでしょう？

問019

581年、中国に隋(ずい)王朝を建国し、均田(きんでん)制や租庸(そよう)調(ちょう)制などを施行した初代皇帝は誰でしょう？

問020

717年から741年まで在位したビザンツ皇帝で、726年に聖像禁止令を出したことでローマ教会との対立を深めたのは誰でしょう？

問021

916年にモンゴルに遼(りょう)王朝を建国し初代皇帝となった、遊牧民族・契丹(きったん)の人物は誰でしょう？

問022

9世紀頃からイスラム世界で軍人として登用されるようになった、トルコ人などの白人奴隷(どれい)のことを指す言葉は何でしょう？

問023

文章家としても唐宋八大家の一人に数えられる、北宋(ほくそう)の第6代皇帝・神宗(しんそう)のもとで新法(しんぽう)を打ち出し、政治改革に取り組んだ宰相(さいしょう)は誰でしょう？

Answer

答018

ジズヤ

解説

ジズヤはムガル帝国のアクバルの時に「万民との平和」を掲げて一度廃止されましたが、アウラングゼーブの時に復活したため非ムスリムからの反発が起きました。
似た税金に「ハラージュ」があります。こちらは土地に対してかけられたもので、時期によってはイスラム教徒にも課されていました。

答019

文帝［楊堅］

解説

隋は618年、2代皇帝・煬帝の時に滅んでしまう短命の王朝でしたが、さまざまな制度を整備したほか、日本から遣隋使が派遣されたことでもよく知られています。

答020

レオン3世

解説

イスラムでは偶像を否定しているため聖像禁止令を出したところ、ローマ教会はゲルマンへの布教に聖像を必要としたことから、対立が深まることとなりました。
800年にカール大帝（シャルルマーニュ）に戴冠したローマ教皇・レオ3世と混同しないようにしましょう。

答021

耶律阿保機

解説

漢字を元にして、契丹民族独自の文字である「契丹文字」を制定した人物でもあります。
同じく漢字5文字で表記される、金王朝を建てた女真族の完顔阿骨打（女真文字を制定した人物でもある）との混同に気をつけましょう。

答022

マムルーク

解説

次第に権力を拡大した彼らは、1250年にアイユーブ朝でクーデターを起こし、その名も「マムルーク朝」という王朝を建てるほどになりました。19世紀にナポレオンの遠征によって弱体化し、ムハンマド・アリーによって滅ぼされるまで、マムルークの制度自体は存続していました。

答023

王安石

解説

新法には、低金利の貸付策である青苗法、特産品の買い上げ策である均輸法、中小商人への低利融資策である市易法などがありますが、保守派官僚からの反対も強かったです。

問024

1056年にベルベル人がモロッコを中心に建てた、マラケシュを首都とする王朝は何でしょう？

問025

1096年から1270年にかけて7回の遠征が行われた、カトリック諸国がイスラムからイェルサルムを奪回するために派遣した軍隊を総称して何というでしょう？

問026

1215年、プランタジネット朝のジョン王に対して貴族が認めさせた、イギリス立憲政治の基礎ともなった法律を何というでしょう？

問027

1243年、チンギス・ハンの孫であるバトゥが建国した、首都をサライに置いたモンゴル帝国のひとつは何でしょう？

問028

1256年から1273年にかけて、神聖ローマ皇帝が実質的に不在だった時期のことを一般に「何時代」というでしょう？

問029

都市の大商人などに多かった、12世紀以降のイタリアにおける教皇と皇帝の抗争において、教皇を支持した人々のことを何といったでしょう？

Answer

答024

ムラービト朝

解説

ベルベル人はマグリブ地方（現在のモロッコやアルジェリアなどにあたる）における先住民で、7世紀にアラブ人に征服されるとイスラム教に改宗しながらも独自の言語や文化を維持していました。ムラービト朝を滅ぼして1130年に建国された、同じくベルベル人の王朝であるムワッヒド朝と間違えないようにしましょう。

答025

十字軍

解説

全7回の十字軍の中でも特に重要なのは以下の3つです。
第1回十字軍はクレルモン公会議の決定を受けて派遣され、イェルサルム王国の建設を実現させました。
第3回十字軍はイギリス王リチャード1世（獅子心王）が参戦するなど、最も規模の大きいものでした。
第4回十字軍はコンスタンティノープルを占領・略奪し、ラテン帝国が建国されました。

答026

マグナ・カルタ［大憲章（だいけんしょう）］

解説

貴族の封建的諸権利の保障などを含み、全63条にも及ぶ長い法律だったことからこう呼ばれます。800年以上前の法律ですが、現在のイギリス憲法の根幹にもなっています。
ちなみにジョン王は、フランス王フィリップ2世との戦いで領土を失い「欠地王（けっちおう）」「失地王（しっちおう）」と呼ばれました。

答027

キプチャク・ハン国［ジュチ・ウルス］

解説

モンゴル帝国と呼ばれる国には他に、フラグ（フビライ・ハンの弟）が建国したイル・ハン国（首都はタブリーズ）、チャガタイ（チンギス・ハンの子）が建国したチャガタイ・ハン国（首都はアルマリク）などがあります。

答028

大空位時代（だいくうい）

解説

ホーエンシュタウフェン朝が断絶し、1256年にウィレム2世が亡くなったことでローマ王位が空席となり、1273年にハプスブルク家のルドルフ1世が即位するまで続きました。なお、大空位時代の始まりの年については、ホーエンシュタウフェン朝が途絶えた1254年とする説などいくつかあります。

答029

ゲルフ

解説

皇帝を支持した人々を「ギベリン」といい、農村領主出身の貴族などに多くいました。なおシェークスピアの『ロミオとジュリエット』はこの時代を舞台としており、ジュリエットのキャピュレット家がゲルフ、ロミオのモンタギュー家がギベリンであったという設定があります。

Question

問030

1526年、パーニーパットの戦いを経て、現在のインドにムガル帝国を建国し初代皇帝となった人物は誰でしょう？

問031

17世紀のイギリスで結成された政党のうち、現在の保守党の前身となったものを「何党」というでしょう？

問032

1616年、後金(こうきん)王朝を建国し、それがのちに国号が清(しん)に改められたため清王朝の初代皇帝となった人物は誰でしょう？

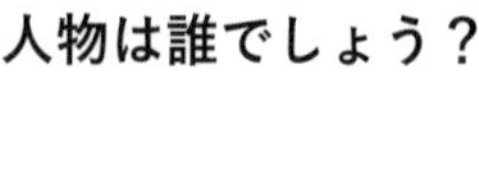

問033

1628年、強権政治を敷くチャールズ1世に対して、イギリス議会が提出した文書を日本語で何というでしょう？

問034

イギリス革命によってチャールズ1世が処刑されたのち、護国卿（ごこくきょう）に就任すると、共和政を宣言し軍事独裁を敷いたイギリスの政治家は誰でしょう？

問035

日本語では「旧体制」や「旧制度」などと訳される、16世紀からフランス革命期まで続いたフランスの政治・社会制度をフランス語で何というでしょう？

答030

バーブル

解説

ムガル帝国の皇帝には、中央集権体制を確立した第3代のアクバル、タージ・マハルを建てた第5代のシャー・ジャハーン、最大版図を築いた第6代のアウラングゼーブなどがいました。

答031

トーリー党

解説

イングランド王チャールズ2世の弟・ジェームズの王位継承を認めるトマス・オズボーンらによって結成されました。もともと「トーリー」とは「追いはぎ」のような意味を持つ蔑称（べっしょう）でした。
一方、自由党の前身となった、アントニー・アシュリー＝クーパーらによって結成された政党を「ホイッグ党」といいます。

答032

ヌルハチ［太祖］

解説

モンゴル文字を応用して満州文字を作ったことや、軍事・行政組織である「八旗（はっき）」を整備したことで知られています。
国号を清に改めたのは、ヌルハチの子で第2代皇帝となったホンタイジ（太宗）で、内モンゴルや朝鮮を制圧するなど勢力を拡大しました。

Answer

答033

権利の請願

解説

チャールズ1世は一度はこれを受け入れたものの、その後議会を解散して専制政治を行うようになりました。チャールズ1世により国教会を強制されたスコットランドが反乱を起こしたことが、イギリス革命（ピューリタン革命）のきっかけとなります。
なお、名誉革命ののちに可決された「権利の宣言」や、それを踏まえて成立した法律である「権利の章典」などとの混同に注意が必要です。

答034

（オリバー・）クロムウェル

解説

イギリス革命時のイギリスは王党派と議会派に分かれており、次第に議会派は長老派・独立派・水平派に分裂していきました。クロムウェルは独立派を率いて長老派や水平派を圧倒していきました。
彼は「鉄騎隊」という騎兵隊を組織したり、アイルランドやスコットランドを征服したりしました。

答035

アンシャン・レジーム

解説

聖職者からなる第一身分、貴族からなる第二身分、平民からなる第三身分に分けられ、第一・第二身分を合わせても国民の2%程度に過ぎませんでした。聖職者であるシェイエスが著したパンフレット『第三身分とは何か』で注目を集めることとなりました。

問036

ヴィクトリア女王時代のイギリスで2度首相を務め、スエズ運河買収やインド帝国の成立など、帝国主義外交を推し進めた保守党の政治家は誰でしょう？

問037

18世紀末のフランスでジャコバン派の指導者となり、公安委員会で主導権を握ると恐怖政治を断行した、フランス革命を代表する政治家は誰でしょう？

問038

トリエステや南チロルなど、1870年のイタリア全土統一後、イタリア人の居住地でありながらオーストリアなどの領土となっていた地域のことを、イタリア側は何と呼んだでしょう？

問 039

1876年に制定されるも、2年後にアブデュルハミト2世により停止された、オスマン帝国における最初の憲法を、当時の宰相(さいしょう)の名を取って何というでしょう？

問 040

1884年、ウェッブ夫妻やバーナード・ショーらの知識人によってイギリスで結成された社会主義者の団体で、のちの労働党の前身となったのは何でしょう？

問 041

清王朝10代皇帝・同治帝(どうちてい)の母であり、1898年に戊戌(ぼじゅつ)の政変で11代皇帝・光緒帝(こうちょてい／こうしょてい)に対しクーデターを起こし実権を握った女性は誰でしょう？

Answer

答036

（ベンジャミン・）ディズレーリ

解説

彼の前後に首相を務めた自由党の政治家グラッドストンは、第3回選挙法改正により成人男性のほとんどに選挙権を与えるなどの政策を行いました。
ちなみにディズレーリは小説家としても活動し、『ロゼアー』や『エンディミオン』などの作品がベストセラーになりました。

答037

（マクシミリアン・）ロベスピエール

解説

革命裁判所の設置や徴兵制の実施など、反対勢力を厳しく処分するという姿勢を取っており、1794年のテルミドール9日のクーデターにより処刑されました。
恐怖政治を象徴するアイテムが処刑道具のギロチン（断頭台）で、反革命派はギロチンによって次々と処刑されていきました。

答038

「未回収のイタリア」

解説

特にトリエステは貿易港として栄えていたこともあり、この地域の獲得を目指してイタリアは三国同盟を離脱し、第一次世界大戦に参戦することとなりました。最終的には第二次世界大戦にイタリアが敗れたことから、南チロルに自治権が認められるなどして問題の解決に至りました。

答039

ミドハト憲法

解説

起草したオスマン帝国の宰相ミドハト＝パシャにちなんでこう呼ばれます。上下両院からなる議会の設立など近代的な内容を多く含んでいましたが、専制政治を行いたいアブデュルハミト2世がロシア＝トルコ戦争を口実に停止してしまいました。その後、1908年の青年トルコ革命によって、ミドハト憲法は復活することとなります。

答040

フェビアン協会

解説

その名は第二次ポエニ戦争で活躍した共和政ローマの政治家クィントゥス・ファビウス・マクシムスに由来します。1900年に労働組合などとともに労働代表委員会を結成し、それが改称する形で1906年に労働党が誕生し、現在は保守党とともにイギリスの二大政党制を構成しています。

答041

西太后（せいたいこう）

解説

義和団事件で敗れた1901年以降、立憲君主制への移行や教育改革など「光緒新政」と呼ばれる政治改革を行うようになりましたが、彼女の死後間もなく辛亥（しんがい）革命が起き清朝は滅亡することとなりました。

1984年には彼女の半生を描いた映画『西太后』も公開されました。

問042

20世紀初頭のロシアにおいて、レーニンなどに代表されるロシア社会民主労働党の左派勢力のことを、「多数派」を意味するロシア語から何といったでしょう？

問043

1919年にレーニンがモスクワで設立し、各国で共産主義政党を作らせた、別名を「第三インターナショナル」という国際組織を英語で何というでしょう？

問044

世界恐慌（きょうこう）に陥っていた1930年代のアメリカで、フランクリン・ルーズベルト大統領が行った一連の経済政策のことを、総称して何というでしょう？

問045

1922年の「ローマ進軍」によりイタリアの首相に就任し、1943年まで独裁権力をふるった政治家は誰でしょう？

問046

1958年、中国の国家主席であった毛沢東（もうたくとう）が行うも、大量の餓死者を生み失敗に終わった改革運動を何というでしょう？

答042

ボリシェヴィキ

解説

1917年に彼らによってソヴィエト政権が樹立され、ほかの政党を排除した結果、事実上の一党独裁が成立することとなります。
なお、右派政党のことは「少数派」という意味のロシア語から「メンシェヴィキ」といいました。ロシア革命の間一時的に多数派になったこともあります。

答043

コミンテルン

解説

当初は世界革命を推進し、従属地域の民族解放運動を革命運動に発展させることを目的としていましたが、第二次世界大戦中に解散されるまで活動しました。
なお、1947年にソ連を中心に結成された情報交換のための機関・コミンフォルム（共産党情報局）との混同に注意しましょう。

答044

ニューディール政策

解説

主な政策に、農業調整法（AAA）、全国産業復興法（NIRA）、テネシー川流域開発公社（TVA）などがあります。
ちなみにのちのアメリカ大統領トルーマンは、社会保障を充実させるための政策として「フェアディール政策」を実施しました。

答045

（ベニート・）ムッソリーニ

解説

彼が結成したファシスト党は、イタリアで一党独裁体制を成立させ、ドイツのナチスとともに極端な国粋主義をとったファシズムを代表する政党に挙げられます。
彼が政権を担当していた間、ローマ教皇庁との間で結ばれたラテラノ（ラテラン）条約によってヴァチカン市国が独立したほか、既に独立していたアルバニアを保護国化しました。彼自身は第二次世界大戦末期の1945年に非正規軍パルチザンによって処刑されました。

答046

大躍進

解説

人民公社が組織され、急激な農工業の発展を推し進めようとしましたが、労働者や農民の疲弊を招き、数千万人もの死者を出したことから、毛沢東は失脚することとなりました。
その後毛沢東は「文化大革命（プロレタリア文化大革命）」という政治権力闘争を起こし、紅衛兵（こうえいへい）を組織したり国家主席の劉少奇（りゅうしょうき）らを失脚させたりして実権を取り戻しましたが、1976年に亡くなりました。

Question

問047

1980年代にペレストロイカやグラスノスチといった活動を推し進めた、ソ連共産党最後の書記長であり、ソ連で唯一の大統領になった人物は誰でしょう？

問048

1940年代に法制化され、1991年に撤廃されるまで続いた、南アフリカにおける非白人に対する人種差別政策を何といったでしょう？

問049

1963年にアメリカ・イギリス・ソ連の間で締結された「部分的核実験禁止条約」のことを、アルファベット4文字の略称で何というでしょう？

問050

1993年、マーストリヒト条約の締結によって設立された、ヨーロッパの国々が加盟する組織は何でしょう？

Answer

答047

（ミハイル・）ゴルバチョフ

解説

ペレストロイカは政治改革（経済の自由化・民主化など）のこと、グラスノスチは情報公開（言論の自由化など）のこと。ほかにも「新思考外交」を取り、マルタ会談で冷戦終結にこぎつけるなど、ソ連社会の改革を推進しました。1991年のクーデターで失脚、ソ連は解体されることとなりますが、それ以降も環境問題に取り組むなどし、2022年に亡くなるまで幅広く活動しました。
ちなみに、ペレストロイカはほかの国々へも影響を与え、特にベトナムでは「ドイモイ」という刷新運動がとられました。

答048

アパルトヘイト

解説

オランダ系白人が政権を握っていた頃に制定された政策で、アフリカーンス語で「隔離（かくり）」という意味があります。国際的に強い非難を浴び、経済制裁を受けるまでに至りました。
当時の南アフリカ大統領・デクラークとともに、撤廃運動の中心となった指導者ネルソン・マンデラは、撤廃後の1994年に南アフリカの大統領に就任し、同国の国際社会復帰を果たしました。デクラークとマンデラはノーベル平和賞も受賞しています。

答049

PTBT

解説

Partial Test Ban Treatyの略。第二次世界大戦後、以下のような核軍縮のための条約が締結されました。

核拡散防止条約：1968年。NPT（Non-Proliferation Treatyの略）

戦略兵器制限交渉：1969～1972年。SALT（Strategic Arms Limitation Talksの略）

戦略兵器削減条約：1991・1993年。START（Strategic Arms Reduction Treatyの略）

包括的核実験禁止条約：1996年。CTBT（Comprehensive Nuclear Test Ban Treatyの略）

答050

欧州連合［EU］

解説

当初はフランス、イタリアなど6カ国でスタートしましたが、その後多くの国が加盟（イギリスは途中で離脱）し現在は27ヶ国からなります。そのうち大半の国では、単一通貨としてユーロが導入されています。

1950年代に設立したヨーロッパ共同体（EC）や、ECの母体となったヨーロッパ石炭鉄鋼共同体（ECSC）、ヨーロッパ経済共同体（EEC）、ヨーロッパ原子力共同体（EURATOM）などと混同しないようにしましょう。

MEMO

03

経済・外交

問001

紀元前7世紀からアナトリア南西部に栄えた国で、世界最古の金属貨幣を使用したことで知られるのはどこでしょう？

問002

紀元前478年、ペルシア帝国からの襲撃に備えてアテネ（アテナイ）を盟主として結成された軍事同盟を何というでしょう？

問003

紀元前7世紀から紀元前3世紀までカフカス・黒海北方の草原地帯に暮らしたイラン系の騎馬遊牧民で、独自の騎馬文化を生み出したことでも知られるのは何でしょう？

問004

五胡十六国時代の国・北魏（ほくぎ）の皇帝であった孝文帝（こうぶんてい）が始め、隋や唐でも実施された、国家が土地を貸し出し、一定の年齢になったら返却するという土地制度を何というでしょう？

経済・外交

問005

中国の唐から明まで実施された、それまでの租庸調制（そようちょうせい）に代わって制定された税法のことを何というでしょう？

問006

6～8世紀、モンゴル高原から中央アジアを支配したトルコ系騎馬遊牧民で、552年には柔然（じゅうぜん）を滅ぼし、同名の国家を建国したのは何でしょう？

答001

リディア［リュディア］

解説

都をサルデスに置きました。同じ頃イランに建国された「メディア」（都はエクバタナ）との混同に気をつけましょう。

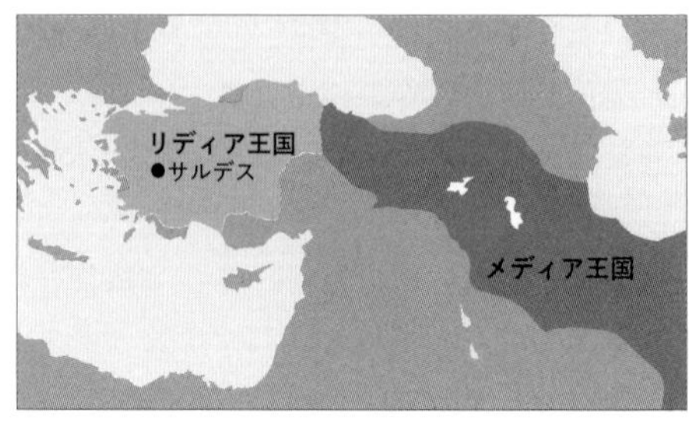

答002

デロス同盟

解説

エーゲ海に浮かぶデロス島に当初の本部が置かれたことに由来します。
他の世界史上有名な同盟に「ハンザ同盟」があります。こちらは、中世ドイツでリューベックを盟主として結成された商人同士の同盟です。

答003

スキタイ

解説

独特の動物文様が施された金属工芸品や武具・馬具などが特徴となっています。
初期の騎馬遊牧民の代表的な人々としては、スキタイと入れ替わるように紀元前3世紀からモンゴル高原に現れた匈奴（きょうど）のほか、そののちに現れた烏孫（うそん）や月氏（げっし）などがいます。

答004

均田制

解説

北魏ではほかに村落制度の三長制や鮮卑を漢民族と一体化させる漢化政策などがとられました。
また、魏（北魏ではなく三国時代の魏）では国家が官有地を耕作させる「屯田制」が、西晋では身分に応じて土地所有の上限を定めるなどした「占田・課田法」が実施されました。
ちなみに、唐の時代の均田制をもとにして、日本の班田収授法が作られました。

答005

両税法

解説

一年のうち夏と秋の二回徴税されたことからこう呼ばれます。均田制は土地の貸し出しによるものでしたが、この両税法では農民が土地を所有することが公認され、土地所有者に租税を負担させることになりました。金銭または穀物での納入が原則でしたが、金銭の代わりに絹布による納入も行われていました。

答006

突厥

解説

北方遊牧民最古の文字とされる「突厥文字」を作り出したことでも知られています。
その後突厥は内紛や隋の策略によって東西に分裂し、西突厥は7世紀末に、東突厥は745年に滅ぼされました。
おおよそ同じ時期にヨーロッパで栄えた騎馬遊牧民にフン人、エフタル、ウイグルなどがいます。

問007

7〜14世紀、現在のスマトラ島南部に成立し、大乗仏教を受容したほか、パレンバンを中心に海上交易で栄えた国家は何でしょう？

問008

ドイツの地理学者リヒトホーフェンが命名した、紀元前から15世紀まで利用され、物品や文化の交流に重要な役割を果たした、アジアやヨーロッパをつなぐ交易路を指す言葉は何でしょう？

問009

ブワイフ朝で始まり、セルジューク朝やマムルーク朝でも採用された、軍人や官僚に、給料の代わりとして国家が所有する土地の徴税権を与えた制度を何というでしょう？

問010

1004年、宋と遼の間で結ばれた、宋が遼に毎年絹や銀を送ること、宋が兄・遼が弟という関係を確立することなどを定めた和議を何というでしょう？

問011

チンギス・ハンが導入しモンゴル帝国で整備された「駅伝制」のことを、モンゴル語で何というでしょう？

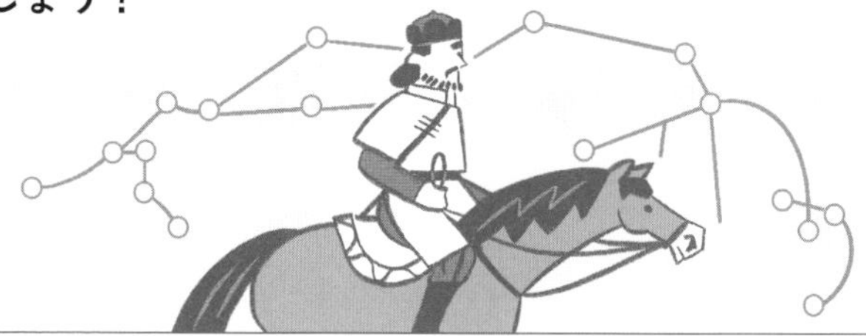

問012

11世紀以降、ドイツなどの中世都市で結成された商工業者の組合のことを、英語で何というでしょう？

答007

シュリーヴィジャヤ王国［室利仏逝］

解説

ジャワにあったクディリ朝や、南インドにあったチョーラ朝などと、交易の利をめぐって抗争を繰り広げていました。
ちなみに、ナーランダー僧院（第5章答019、P170参照）で学んだ中国・唐の僧、義浄が、著書『南海寄帰内法伝』において「室利仏逝」の国名でその繁栄を伝えていることで知られています。

答008

シルクロード［絹の道］

解説

特にシルク（絹）が重要な交易品としてやり取りされていたことにちなみます。なお、ここでやりとりされた文化は日本まで伝わり、日本にある正倉院は俗に「シルクロードの終着点」といわれています。ちなみに中国が2017年から推進している「一帯一路政策」の「一帯」は、このシルクロードを中心とした経済ベルトを指します。

答009

イクター制

解説

イクターとは国家が所有する分与地のこと。セルジューク朝では兵士に忠誠を尽くさせるため、世襲的な土地の分与が制度化されました。さらにオスマン帝国ではこれを発展させ、平時には農村の管理、戦時には兵士を率いて従軍させた「ティマール制」が採用されました。

答010

澶淵（せんえん）の盟（めい）

解説

澶州（せんしゅう）という州の淵（ふち）で結ばれたことからこう呼びます。当時宋と遼の間では「燕雲十六州（えんうんじゅうろくしゅう）」という地域の領有権をめぐってしばしば争いが起こっていましたが、この澶淵の盟が結ばれた結果、両国間は平和な状態が維持されることになりました。

経済・外交

答011

ジャムチ

解説

日本の江戸時代に導入された駅伝制と同様に、一定距離ごとに宿駅を設け、宿泊施設や替えの馬、食糧などが設置されました。オゴタイの頃に整備・拡大され、マルコ・ポーロらの旅行者はジャムチを利用したことで長距離の移動をすることができたといわれています。

答012

ギルド

解説

特に手工業者の間で結成されたものをドイツ語から「ツンフト」と呼び、彼らが市政への参加を求めた運動を「ツンフト闘争」といいます。
フランスではフランス革命直前、財務総監テュルゴーらによって廃止が進められましたが、ドイツでは21世紀まで制度が残っていたといわれています。

Question

問013

中世ヨーロッパで取られた、農地を秋耕地・春耕地・休耕地に分け、3年間で一巡させることにより、生産力を向上させる土地利用法を何というでしょう？

問014

12～13世紀、毛織物や香料などの商品集積地として栄え、為替（かわせ）を取り扱ったり定期市（ていきいち）が開催されたりしたフランス東北部の地方はどこでしょう？

問015

1488年、のちに「喜望峰（きぼうほう）」と名付けられるアフリカ大陸最南端に、ヨーロッパ人として初めて到達したポルトガルの航海者は誰でしょう？

問題

問016

1498年にヴァスコ・ダ・ガマが来航したことでも知られる、綿織物などを輸出したインド西南部の港湾都市はどこでしょう？

問017

1499年から1502年にかけて南アメリカを探検し、そこが「新大陸」であると主張したフィレンツェ出身の航海者で、新大陸は彼の名前にちなんで「アメリカ」とつけられましたが、それは誰でしょう？

問018

16世紀のスペインで、ラテンアメリカの植民者に先住民の統治を委託し、キリスト教に改宗させることを条件に労働力として使用することを認めた制度を何というでしょう？

Answer

答013

三圃制［三圃式］

解説

休耕地には家畜を放牧し、1年間肥料を与えることで効率的に土地の生産力を回復させるというシステムです。フランス北部で始まった制度で、中部ヨーロッパの気候の特徴にマッチしていたことから普及し、特に麦の収穫量が大きく向上しました。
この頃、製鉄技術が進歩したことにより、重量有輪犂などの鉄製農具も開発されました。

答014

シャンパーニュ地方

解説

ここで作られた発泡性の葡萄酒のことをシャンパンといいます。
この頃栄えたヨーロッパの都市としては、ハンザ同盟（答002、P82参照）の中心地となったドイツのリューベックやハンブルク、銀や銅山で栄えたドイツのアウクスブルク、毛織物産業で栄えたベルギーのフランドル地方やその中心地ブリュージュ（ブルッヘ）などがあります。

答015

バルトロメウ・ディアス

解説

もともとディアス自身はここを「嵐の岬」と呼んでいたものの、これによりインド航路が開拓されるきっかけとなったことにちなんで「喜望峰」（「希望峰」ではないので注意）と改称されました。
その後、ヴァスコ・ダ・ガマが喜望峰を経由してインドに辿り着くこととなります。

答016

カリカット

解説

現在の地名としては「コーリコード」などといいます。
同じくインドにあったカルカッタ（現：コルカタ）と混同されがちです。こちらはインド北東部にあり、イギリス東インド会社の拠点となったことで知られています。

答017

アメリゴ・ヴェスプッチ

解説

この他の大航海時代の有名な航海者には以下のような人物がいます。
カブラル（ポルトガル）：ブラジルに漂着し、ここをポルトガル領と宣言した
マゼラン（ポルトガル）：艦隊で初めて世界一周を達成（ただし彼自身は途中で殺害された）
バルボア（スペイン）：ヨーロッパ人で初めて太平洋に到達

答018

エンコミエンダ制

解説

先住民を鉱山や農業といった労働で酷使したことから人口が激減したことなどにより、エンコミエンダ制は次第に衰退していきます。これに代わって17世紀で広まった、広大な土地で先住民などを労働力として商品作物を栽培した大農園制をアシエンダ制といいます。

問019

中国では「利瑪竇（りまとう）」と呼ばれた、明（みん）代中国でキリスト教布教の基礎を築き、ヨーロッパの文化を中国に伝えたことでも知られるイタリア出身の宣教師は誰でしょう？

問020

その名は「鷹（たか）の城」などの意味を持つ、1273年に即位したルドルフ1世を筆頭に、神聖ローマ皇帝を数多く輩出したオーストリアの名家は「何家」でしょう？

問021

宋（そう）代に作られて明（みん）代に整備された土地台帳のことを、その見た目がある動物の一部に見えることから何というでしょう？

問022

中国・明(みん)代に実施された、複雑化していた租税と徭役(ようえき)（無償強制労働）を一元化して銀で納入させた税制のことを何というでしょう？

問023

1620年、メイフラワー号に乗ってイギリスのプリマスから北アメリカに移住した、ピューリタンを中心とした102人のことを総称して何というでしょう？

問024

16世紀のイギリスで毛織物工業の分野で始まった、工場に労働者を集め、分業によって効率的に製造を行う仕組みのことを何というでしょう？

答019

マテオ・リッチ

解説

中国で最初の世界地図『坤輿万国全図（こんよばんこくぜんず）』や、幾何学（きかがく）の著作を漢訳した『幾何原本（きかげんぽん）』などの著書を残しました。
イグナティウス・ロヨラらによって創設されたキリスト教の修道会・イエズス会を代表する宣教師の一人で、ほかの有名な宣教師には日本にキリスト教をもたらしたフランシスコ・ザビエルなどがいます。

答020

ハプスブルク家

解説

「戦いは他のものに任せよ、汝幸いなるオーストリアよ、結婚せよ」という言葉に象徴される通り、有力者との婚姻により権力を拡大していったハプスブルク家は、1438年以降は1806年の神聖ローマ帝国解体まで、皇帝位をほぼ独占していました。
ちなみにハプスブルク家はスペインにも勢力を伸ばし、スペイン・ハプスブルク家として1516年以降王位についていました。

答021

魚鱗図冊（ぎょりんずさつ）

解説

里甲制（りこうせい）という村落行政制度において、戸籍・租税台帳であった賦役黄冊（ふえきこうさつ）とともに、明代の租税制度を支える重要な台帳となりました。
この頃、民衆教化のために全国に発布した教訓を「六諭（りくゆ）」といい、「父母に孝順なれ」など6ヶ条からなっていました。

答022

一条鞭法（いちじょうべんぽう）

解説

複雑だった法律を1条の条文にまとめたためこのような名前がついたという説があります。その後清（しん）の康熙帝（こうきてい）の頃になると、人頭税（丁税（ていぜい））を廃止し土地税（地銀（ちぎん））に一本化する地丁銀制（ちていぎんせい）が実施されるようになりました。

答023

ピルグリム・ファーザーズ［巡礼始祖］

解説

「ピルグリム」とは聖地を巡礼する人のことを意味する英単語です。イギリスのジェームズ1世が行ったピューリタンの弾圧から逃れ、宗教的自由を求めて移住しました。彼らが上陸したのが現在のマサチューセッツ州に位置するプリマスで、これがのちのニューイングランド植民地へと発展していきました。

答024

マニュファクチュア［工場制手工業］

解説

問屋（とんや）制家内工業（原材料を前借りし、自宅で加工を行う仕組み）から発展したものであり、産業革命によって工場制機械工業（工場で機械を使って大量に加工を行う仕組み）へと移り変わっていったといわれています。ドイツやフランスでは国王が主導する特権マニュファクチュアも成立しました。

問025

産業革命において、ハーグリーヴズが発明したジェニー紡績機を改良し、水力紡績機を生み出した発明家は誰でしょう？

問026

ルイ14世のもとで財務総監を務め、王立マニュファクチュア創設や保護貿易政策など、重商主義政策を推し進めたフランスの政治家は誰でしょう？

問027

17世紀の大西洋で行われた「三角貿易」で、アフリカから主に輸出されたのは何でしょう？

問028

1689年、清(しん)とロシアの間で結ばれた、国境をアルグン川とスタノヴォイ山脈とすることを定めた条約は何でしょう？

問029

1806年、イギリス経済に打撃を与えるためにナポレオンが発した、大陸諸国にイギリスとの通商を禁じた勅令(ちょくれい)は何でしょう？

問030

1814年から1815年にかけて、ナポレオン戦争後のヨーロッパの秩序再建のために、オーストリアのメッテルニヒを議長として開催された国際会議を何というでしょう？

答025

アークライト

解説

同時期に、蒸気機関を利用して力織機(りきしょっき)を生み出したカートライトと紛らわしいので注意しましょう。産業革命ではほかにも、飛び杼(ひ)を発明したジョン・ケイ、ミュール紡績機（ジェニー紡績機と水力紡績機の長所を取り入れた）を発明したクロンプトンなどがいます。

答026

（ジャン＝バティスト・）コルベール

解説

一度フランスで創設されていた東インド会社を再建し、貿易拡大政策を推進しました。また、現在のフランス学士院のもととなった科学アカデミーやパリ天文台などの設立にも関わり、シャルル・ペローなどの文化人を援助するなど文化的に影響を与えたことでも知られています。

答027

奴隷(どれい)

解説

アフリカから南北アメリカに奴隷を運び、アメリカからヨーロッパへ砂糖や綿花などを運び、ヨーロッパからアフリカに武器などを運ぶという貿易です。

19世紀のアジアでも「三角貿易」は行われており、イギリスの綿製品をインドへ、インドのアヘンを中国へ、中国の茶をイギリスへ運ぶものでした。

答028

ネルチンスク条約

解説

ネルチンスクはロシアにある町の名前です。清の康熙帝とロシアのピョートル1世の間で結ばれ、清とヨーロッパの国との間で初めて対等に結ばれた条約となりました。
その後1727年に結ばれたキャフタ条約で、モンゴル地区の国境が定められましたが、1858年のアイグン条約によって現在とほぼ同じ国境が確定することとなりました。

答029

大陸封鎖令

解説

トラファルガーの海戦で敗れたフランスにとって、イギリスに対する打撃に加え、フランス産業による大陸市場の支配を目論んだものでした。しかし、かえってイギリス市場を失った諸国の不満を買い、密貿易の横行や、ポルトガル・ロシアの離反を招くこととなりました。

答030

ウィーン会議

解説

諸国の利害が対立してなかなか審議が進まなかったことから、「会議は踊る、されど進まず」と風刺されました。最終的にはフランスの外交官・タレーランが唱える正統主義（フランス革命前の状態に戻そうという考え）が基本原則とされました。

問031

19世紀の南アフリカで財を成し、1890年にはケープ植民地の首相となったイギリスの実業家は誰でしょう？

問032

フランス人外交官レセップスが建設を開始し、1869年に完成した、地中海と紅海を結ぶ運河を何というでしょう？

問033

「中体西用（ちゅうたいせいよう）」をスローガンに、1860年代から中国・清（しん）で進められた、ヨーロッパの技術を導入する富国強兵策を何というでしょう？

問034

19世紀から20世紀にかけてドイツがとった外交政策の「3B政策」が指す、Bという頭文字を持つ3つの都市はどこでしょう？

問035

1898年、アフリカ横断政策をとるフランスとアフリカ縦断政策をとるイギリスが遭遇し、軍事衝突しそうになった事件のことを、現在の南スーダンにある地名から「何事件」というでしょう？

問036

19世紀後半のイギリスがとった、強大な経済力と軍事力を背景として、敢えて他国と同盟関係を結ばなかった外交姿勢のことを何というでしょう？

Answer

答031

セシル・ローズ

解説

当時南アフリカにあったトランスヴァール共和国で鉱業会社を設立し、ダイヤモンド業や金鉱業などで成功しました。大変な野心家として知られ、「できることなら私は惑星をも併合したい」という言葉や、教科書にも載るアフリカ全体を股にかけて描かれたイラストでよく知られています。

答032

スエズ運河

解説

この運河が開通したことにより、ヨーロッパとアジアを結ぶ航路は大幅に短縮されることになりました。
レセップスはスエズ運河開通後、太平洋と大西洋を結ぶパナマ運河の建設にも着手したものの失敗に終わりました。パナマ運河はその後、アメリカによって1914年に開通しました。

答033

洋務(ようむ)運動

解説

「中体西用」とは、「伝統的な中国の文明を本体とした上で、西洋の文明を利用する」という意味で、西洋技術の導入を正当化するスローガンとなっていました。太平天国の乱を収めた曾国藩(そうこくはん)や李鴻章(りこうしょう)、左宗棠(さそうとう)などの政治家を中心に推し進められました。

答034

ベルリン、ビザンティウム、バグダード［バグダッド］

解説

ビザンティウムは現在のイスタンブールのことです。
なお、同時期にイギリスがとった「3C政策」はカイロ、ケープタウン、カルカッタの3都市のことを指します。セットで覚えておきましょう。

答035

ファショダ事件

解説

フランスはアルジェリアやエチオピアから横方向に、イギリスはエジプトや南アフリカから縦方向に植民地化を進めており、スーダンでぶつかりそうになったものの、フランスの譲歩により軍事衝突は避けられました。

答036

「光栄（名誉）ある孤立」

解説

1856年のクリミア戦争終結後、1902年の日英同盟締結までの約半世紀、この状態を保持していました。
似たような考えに、19世紀半ばのアメリカで第5代大統領モンローがとった「モンロー主義」があり、こちらはアメリカ大陸とヨーロッパ大陸間の相互不干渉を提唱したものでした。

問037

第一次世界大戦の「連合国」勢力の中心となった、19世紀から20世紀にかけてイギリス・フランス・ロシアが結んだ協力関係のことを何というでしょう？

問038

1915年、メッカの太守（たいしゅ）とイギリスの高等弁務官が取り交わした、オスマン帝国へ反乱を起こすことを条件にアラブ国家の独立を認めるとした書簡を何というでしょう？

問039

1919年のヴェルサイユ条約によってドイツからフランスに返還された、かねて両国の間で争いが続いた地域を何というでしょう？

問040

1923年、第一次世界大戦後のドイツで発生したハイパーインフレを収拾するために発行された紙幣を何というでしょう？

問041

1928年に15カ国間で締結された「不戦条約」のことを、これを提唱したフランスの外相とアメリカの国務長官の名前から何というでしょう？

問042

1931年、世界恐慌で大打撃を受けたドイツの経済再興を目的にアメリカで出された、政府間債務の1年間の支払い猶予（ゆうよ）宣言のことを、当時のアメリカ大統領の名前から何というでしょう？

答037

三国協商

解説

ドイツ・オーストリア＝ハンガリー・イタリアが結んで三国協商と対立した「三国同盟」や、日清戦争後の下関条約に対してロシア・ドイツ・フランスが行った「三国干渉」、第二次世界大戦の枢軸国にあたる「日独伊三国同盟」(第1章答047、P38参照)などとの混同に気をつけましょう。

答038

フサイン［フセイン］・マクマホン協定

解説

1916年にイギリス・フランス・ロシアの間で交わされたサイクス・ピコ協定、1917年にイギリスがユダヤ人に発表したバルフォア宣言とそれぞれ矛盾することから、このイギリスの外交政策を「三枚舌外交」といいます（サイクス・ピコ協定を除いて二枚舌外交ということもある）。

答039

アルザス・ロレーヌ［エルザス・ロートリンゲン］

解説

その後、第二次世界大戦においても一時ドイツに占領されましたが、現在はフランスの領土となっています。欧州連合の欧州議会の本部や欧州人権裁判所が置かれているストラスブールは、この地域の中心都市です。

答040

レンテンマルク

解説

当時の1兆マルクを1レンテンマルクと交換するという大胆な対応策でした。

経済・外交

答041

ブリアン・ケロッグ条約[ケロッグ・ブリアン条約]

解説

締結国間で戦争を行わないことを定めた国際条約として意義が強く、日本国憲法のようにこの条約をもとに戦争放棄を明文化した法律が各国で作られる際の先例となりました。

答042

フーヴァー・モラトリアム

解説

「モラトリアム」は支払い猶予のことを指す経済用語です。ドイツの金融恐慌防止を目的として出された宣言でしたがあまり成果をあげられず、フーヴァーは翌年の大統領選挙で「ニューディール政策」を掲げるフランクリン・ルーズベルト（第2章答044、P72参照）に敗れることとなりました。

問043

世界恐慌の中結成されたブロック経済のうち、イギリスを中心とした経済ブロックのことを何といったでしょう？

着色部分がイギリスの経済圏

問044

ソビエト連邦の第一次五カ年計画によって拡大した、農業の共同経営を推し進めた「集団農場」のことを何というでしょう？

Question

問045

1944年に成立した、国際通貨基金（IMF）と国際復興開発銀行（IBRD）の設立や金・ドル本位制などを定めた国際的な経済体制を、会議が行われたアメリカの地名を取って何というでしょう？

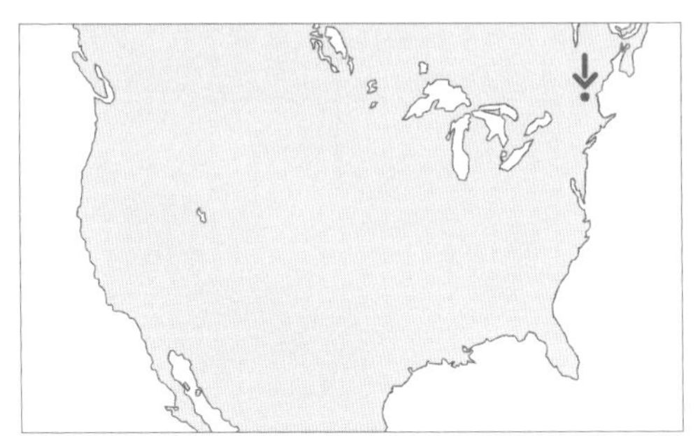

問046

1945年2月、アメリカのフランクリン・ルーズベルト大統領、イギリスのチャーチル首相、ロシアのスターリン書記長が開いた、第二次世界大戦の戦後処理について話し合った会談を何というでしょう？

答043

スターリング・ブロック［ポンド・ブロック］

解説

ブロック経済とは、金本位制を停止し、ある国やその植民地などの間だけで排他的な経済圏を形成していたことをいいます。フランスのものは「フラン・ブロック」、アメリカのものは「ドル・ブロック」と、通貨の名前で呼ばれるものが多くありました。

ブロック経済によって自由貿易が破壊され、ブロック間に摩擦（まさつ）が生じたことが、第二次世界大戦の遠因になったともいわれています。

答044

コルホーズ

解説

コルホーズから転換されて作られた、ソ連が所有する「国営農場」のことを「ソフホーズ」といいました。コルホーズの「コ」は「集団の、共同の」という意味の英語の接頭辞「co」（cooperate＝協力する、などに使われる）と同語源ともいわれ、ソフホーズの「ソ」はソビエトの「ソ」にちなむともいわれるので、そのあたりを意識すると混同しなくなるでしょう。

ちなみにコルホーズは制度としては解体しましたが、現在もその名を残して活動している組織がいくつかあります。

答045

ブレトン・ウッズ体制

解説

ブレトン・ウッズはアメリカ・ニューハンプシャー州にある地名で、ここで締結されたブレトン・ウッズ協定により、金1オンス＝35米ドルという兌換(だかん)比率が定められました。
1971年にアメリカ大統領ニクソンが発表した「ドル・ショック」(ドルと金の兌換停止）により、各国は1973年までに変動相場制へ移行し、ブレトン・ウッズ体制は崩壊することとなりましたが、IMFやIBRDは現在も存続しています。

答046

ヤルタ会談

解説

ヤルタは現在のクリミア半島にある保養地の名前です。戦後の国際政治体制の基本的な内容が取り決められましたが、東西冷戦のきざしも垣間見えるものでした。
これとたいへん混同しやすいのがマルタ会談で、こちらは1989年にアメリカのブッシュ大統領とソ連のゴルバチョフ書記長の間で行われた東西冷戦終結のための会談です。冷戦そのものの流れが「ヤルタからマルタへ」と形容されることもあります。

問047

1948年から1951年にアメリカが実施した「ヨーロッパ経済復興援助計画」のことを、当時のアメリカの国務長官の名前を取って何というでしょう？

問048

1955年、アジアとアフリカの29カ国が集まって行われた「アジア・アフリカ会議」のことを、開催地であるインドネシアの都市の名を取って何というでしょう？

問049

1月1日にカメルーンが独立したのを皮切りに17の国が独立を果たしたことから「アフリカの年」と呼ばれるのは、西暦何年でしょう？

着色部分が独立した17ヶ国

問050

1973年の第四次中東戦争と、1978年のイラン革命を機に二度起きた、世界的な原油価格の高騰（こうとう）のことを何というでしょう？

答047

マーシャル・プラン

解説

当時のアメリカ大統領トルーマンがいわゆる「封じ込め政策」の一環として、トルーマン・ドクトリンとともに発表しました。ギリシャやトルコなどの国の共産主義化防止を目的として出されたものであり、ソ連などからは受け入れが拒否されました。

この計画によって1948年に設立されたヨーロッパ経済協力機構（OEEC）は、その後1961年に経済協力開発機構（OECD）に改組されることとなります。

答048

バンドン会議

解説

この会議を通して発表されたのが、基本的人権と国際憲章の尊重など10の原則からなる「平和十原則」です。これは前年にインドのネルー首相と中国の周恩来首相による会談で締結された「平和五原則」を基礎としています。

定期的に開催される予定でしたが、国際情勢の変化などから第2回は開催されず、この1回のみとなりました。しかしながらその後、2005年に50周年を、2015年に60周年を記念する首脳会議が開催されました。

答049

1960年

解説

カメルーン、トーゴ、マリ、マダガスカル、ソマリランド、コンゴ民主共和国、ソマリア、ダホメ（現：ベナン）、ニジェール、オートボルタ（現：ブルキナファソ）、コートジボワール、チャド、中央アフリカ、コンゴ共和国、ガボン、ナイジェリア、モーリタニアの17ヶ国が独立を達成しました。
しかし平和的に独立できた国ばかりではなく、特に、6月に独立を果たしたコンゴ民主共和国では、独立直後「コンゴ動乱」という内乱が発生することとなりました。

答050

石油危機［オイルショック］

解説

日本にも影響が及び、直接関係はないもののトイレットペーパーの買い占めなどの騒動が起きました。
第一次石油危機による世界的不況をきっかけに、1975年に第1回先進国首脳会議（サミット）がフランスのランブイエで開催されることとなりました。
ちなみに、石油危機の要因となる原油価格の引き上げを行ったのが、産油国どうしの国際的な協力組織として1960年代に設立された石油輸出国機構（OPEC）とアラブ石油輸出国機構（OAPEC）です。よく誤解されますが、これらの組織の「O」はOrganization（組織）の頭文字で、石油を意味するのは「P」（Petroleum）のほうです。

MEMO

04

偉人のエピソード

問001

バビロン第1王朝第6代の王で、全メソポタミアを統一して中央集権国家を建設したほか、自身の名を冠した「法典（ほうてん）」を制定したことで知られるのは誰でしょう？

問002

プラトンに師事し、マケドニア王アレクサンドロスの家庭教師を務めた哲学者で、リュケイオンという学園を開設したことでも知られるのは誰でしょう？

問003

著書『歴史』を残すなどし「歴史の父」と称される古代ギリシャの歴史家で、「エジプトはナイルの賜物（たまもの）」という言葉を残したとされているのは誰でしょう？

問004

第2回ポエニ戦争において、ゾウを率いてアルプスを越え、イタリアに侵入してローマ軍に大打撃を与えた、カルタゴの将軍は誰でしょう？

問005

中国の春秋・戦国時代に活躍した「諸子百家（しょしひゃっか）」のうち、性善説を唱え、その教えをまとめたものが「四書（ししょ）」のひとつに数えられる儒学（じゅがく）の思想家は誰でしょう？

問006

古代ローマで在位したいわゆる「五賢帝（ごけんてい）」の最後にあたり、『自省録（じせいろく）』などの著書を残したことでも知られるのは誰でしょう？

Answer

答001

ハンムラビ王

解説

ハンムラビ法典といえば「目には目を、歯には歯を」という一節が有名ですが、これは復讐を積極的に勧めるというような意味合いではなく、やり返す場合は相手からやられたのと同じことだけにとどめよというものでした。

答002

アリストテレス

解説

プラトン、ならびにプラトンの師であったソクラテスとともに、古代ギリシャを代表する哲学者の一人に数えられます。著書『政治学』などで諸学を体系的・網羅的に集大成したことから「万学の祖」と呼ばれることもあります。また、彼に始まる学派のことをペリパトス学派（逍遥(しょうよう)学派）といいます。

答003

ヘロドトス

解説

ナイル川は古くから氾濫(はんらん)や洪水が多く、それにより周辺地域の土壌は肥沃(ひよく)になり、高度な文明が生まれる礎(いしずえ)になったということから「ナイルの賜物」という表現が生まれました。
ヘロドトスの著書『歴史』はペルシア戦争を主題として物語風に綴られ、現存する世界最古の歴史書ともいわれています。

答004

ハンニバル（・バルカ）

解説

当時のローマの戦争においてはゾウが重要な兵力として使われていました。最初37頭いたゾウはアルプス越えによって20頭になっていたといわれています。
ハンニバルが活躍したこの戦いのことをカンネーの戦いと呼びます。ハンニバルはその後、紀元前202年のザマの戦いで敗れてしまいました。

答005

孟子（もうし）

解説

逆に性悪説を唱えた儒学の思想家に荀子（じゅんし）がいます。また、諸子百家といえば儒家（じゅか）の他に、老子（ろうし）や荘子（そうし）に代表される道家（どうか）、商鞅（しょうおう）や韓非（かんぴ）に代表される法家（ほうか）、蘇秦（そしん）や張儀（ちょうぎ）に代表される縦横家（じゅうおうか／しょうおうか）などがあります。

答006

マルクス・アウレリウス・アントニヌス

解説

五賢帝と呼ばれたローマ皇帝は、ネルウァ、トラヤヌス、ハドリアヌス、アントニヌス・ピウスと、このマルクス・アウレリウス・アントニヌスの5人です。紀元前27年にオクタウィアヌスが即位してから五賢帝時代までの約200年間、ローマは「パクス・ロマーナ（ローマの平和）」と呼ばれる最盛期にあたりました。なお、マルクス・アウレリウスは中国では「大秦王安敦（たいしんおうあんとん／だい）」と呼ばれたという記述があります。

問007

紀元前221年、歴史上初めて中国を統一し、秦(しん)王朝を建国した人物を一般に何と呼ぶでしょう？

問008

6世紀に在位するとヴァンダル王国や東ゴート王国を滅ぼすなどし、ビザンツ帝国（東ローマ帝国）の最盛期をもたらした「大帝」とも称された皇帝は誰でしょう？

問009

日本語では「聖遷(せいせん)」と訳される、622年、ムハンマドがメッカからメディナに移住した出来事を何というでしょう？

問010

唐の第3代皇帝・高宗（こうそう）の妻で、彼が病気になったことで政権を握り、彼の死後は周（しゅう）王朝を建てて中国史上唯一の女帝となった人物は誰でしょう？

問011

その治世が「開元（かいげん）の治（ち）」と称される唐の第6代皇帝で、晩年は楊貴妃（ようきひ）を寵愛（ちょうあい）しすぎたことから唐の衰退を招いたのは誰でしょう？

問012

751年にカロリング朝を建てた人物で、ランゴバルド王国などを攻撃して獲得したラヴェンナ地方などを教皇に寄進したことにより、教皇国家の領土的基礎を作ったのは誰でしょう？

答007

始皇帝

解説

度量衡や文字の統一、万里の長城の修築などの功績がある一方、思想統制策である焚書・坑儒を行ったことでも知られています。彼の墓には約1万体にも及ぶ兵馬俑が埋められていたことでも有名です。

答008

ユスティニアヌス1世

解説

内政としては、トリボニアヌスに命じて『ローマ法大全』を編纂させる、ビザンツ様式の代表的な建物であるハギア・ソフィア聖堂（セント・ソフィア聖堂）を作らせる、内陸アジアから養蚕技術を導入して絹織物産業を育成するといった政策により繁栄をもたらしました。

答009

ヒジュラ

解説

この622年をイスラム暦では紀元とします。
なお、同じく「せいせん」と訳される言葉に「ジハード」があります。こちらはイスラム教徒が異教徒に対して行う戦争＝聖戦のことで、イスラム王朝が領土拡大のために行った一連の戦争のことを指します。

答010

則天武后［武則天］

解説

則天武后は自ら聖神皇帝と称し、則天文字という文字を作るなど独自の王朝を構築しました。彼女と、彼女の子の后である韋后との間で起こった政治の混乱のことを「武韋の禍」といいます。
なお、中国には古代にも周という王朝があったため、彼女が建てた王朝のことを特に武周と呼ぶことがあります。

答011

玄宗

解説

楊貴妃に溺れるまでは、募兵制や節度使の設置などを行い、律令制度の立て直しに努めていました。
なお、楊貴妃のように、国家の崩壊を招くほど美しい女性のことを「傾国の美女」などといいます。ほかに殷王朝の滅亡を招いた妲己などが挙げられます。

答012

ピピン［小ピピン］

解説

カロリング家の祖であるピピン1世を「大ピピン」と呼ぶのに対して「小ピピン」といいます。彼の父はカール・マルテル、彼の子はカール大帝（シャルルマーニュ）です。

問013

786年に即位しイスラム王朝・アッバース朝の全盛期を支えた、同王朝の第5代カリフは誰でしょう？

問014

1038年、西アジアでセルジューク朝を建て、政治権力者の称号であるスルタンを授かった人物は誰でしょう？

問015

『神学大全（しんがくたいぜん）』などを著し、スコラ哲学を大成させた、中世最大の哲学者は誰でしょう？

問016

ヨーロッパ・アフリカ・アジアを旅し、その様子を著書『三大陸周遊記』に残したモロッコ生まれの旅行家は誰でしょう？

Answer

答013

ハールーン・アッラシード

解説

アッバース朝はムハンマドの叔父にあたるアル・アッバースの子孫をカリフとする王朝で、749年にアブー・アルアッバースが初代カリフとなりました。1258年にフラグが率いるモンゴル軍に滅ぼされるまで中央集権的支配体制を築き上げていました。
なお、ハールーン・アッラシードはイスラム世界を代表する物語『千夜一夜物語（アラビアン・ナイト）』の主人公の一人としても知られています。

答014

トゥグリル・ベク

解説

セルジューク朝は宰相ニザーム・アルムルクによりニザーミーヤ学院が設立されたことでも知られています。また、1077年にはセルジューク朝の一族がアナトリアにルーム・セルジューク朝を建てています。
なお、スルタンとは主にスンナ派の政治権力者に与えられる称号で、トゥグリル・ベクが授かったのが最初でした。カリフが「ムハンマドの代理人」という立場であったのに対し、スルタンは世俗的な支配権の保持者のことを指していました。

答015

トマス・アクィナス

解説

「トマス」というファーストネームを持つ歴史上の人物にはほかに以下のような人物がいます。

トマス・ジェファーソン：アメリカ独立宣言を起草し、のちに第3代大統領になった人物

トマス・ペイン：アメリカ独立宣言に影響を与えた『コモン・センス』を書いた政治哲学者

トマス・モア：『ユートピア』などを書いたイギリスの作家・政治家

トマス・マン：『魔の山』などを書いたドイツの作家

答016

イブン・バットゥータ

解説

「イブン」というファーストネームを持つ歴史上の人物にはほかに以下のような人物がいます。

イブン・シーナー：『医学典範』を著した医学者

イブン・ルシュド：『医学大全』やアリストテレスの著作の注釈書を著した哲学者

イブン・ハルドゥーン：『世界史序説』を著した歴史家

問017

1169年、スンナ派王朝であるアイユーブ朝を建て、第3回十字軍を退けたことで英雄として知られる人物は誰でしょう？

問018

1198年から1216年にかけて在位したローマ教皇で、イギリスのジョン王やドイツ皇帝のオットー4世を破門するなど勢力をふるい、「教皇は太陽、皇帝は月」という言葉を残したことで知られるのは誰でしょう？

問019

百年戦争のさなか包囲されたオルレアンで、フランス国王シャルル7世を助けるなど活躍し「オルレアンの乙女」とも呼ばれる女性は誰でしょう？

問020

13世紀にアジア各地を旅し、その様子を『東方見聞録［世界の記述］』に著した、ヴェネツィア出身の商人・旅行家は誰でしょう？

問021

スペインのイサベル女王の援助を受け、1492年にサンサルバドル島に到着し、アメリカ大陸を「発見」したジェノヴァ出身の航海者は誰でしょう？

問022

聖書のドイツ語訳にも尽力した、カトリック教会が贖宥状を発行することを批判したことから、ドイツの宗教改革の中心となった人物は誰でしょう？

答017

サラディン［サラーフッディーン、サラーフ・アッディーン］

解説

第3回十字軍を率いたリチャード1世は「獅子心王（しししんおう）」と呼ばれるほど勇敢でしたが、それを上回るサラディンの戦いぶりはキリスト教徒にも評価されました。
アイユーブ朝はイクター制（第3章答009、P86参照）を採用して徴税法を制度化しましたが、サラディンの死後は領土が分割されていきました。

答018

インノケンティウス3世

解説

教皇権が全盛期であった時代の人物とされ、彼の勢いを表現した言葉に「教皇は太陽、皇帝は月」があります。教皇こそが絶対的な存在であり、皇帝は教皇がいるからこそ輝けるのだという意味合いのフレーズで、1215年のラテラン公会議における演説で使われました。

答019

ジャンヌ・ダルク

解説

のちにとらえられ、宗教裁判で火刑に処されてしまいましたが、今でもフランスでは国民的英雄となっており、様々な小説や音楽、舞台や映画の題材にもなっています。
オルレアンはフランスのちょうど中部に位置する都市で、世界遺産に登録されたロワール渓谷の中にあります。

答 020

マルコ・ポーロ

解説

『東方見聞録』でヨーロッパの人々にアジアの様子を紹介したことで知られ、日本についても「黄金の国ジパング」という記述があります（彼自身が日本を訪れたのではなく、中国で聞いた話として書かれています）。なお、この著作は彼自身が書いたわけではなく、口述したものを作家ルスティケロ・ダ・ピサが採録したものです。

答 021

（クリストファー・）コロンブス

解説

コロンブス自身はインドに辿り着いたものと思い込んでいたため、アメリカ大陸先住民を「インディオ（インディアン）」と呼んでいました。
彼にちなんだことわざで、どんなに単純で簡単なことであっても最初にやってみせるのは難しいということを「コロンブスの卵」といいます。

答 022

（マルティン・）ルター

解説

ヴィッテンベルク大学の教授だったルターは、「金を出せば罪が許される」という意味合いで贖宥状［免罪符(めんざいふ)ともいう］が大量に発行されることに疑問を持ち、1517年に『九十五ヶ条の論題』を発表しました。ちなみにルターは、災いや悪魔に見立てたピンを倒す宗教儀式について、各地でバラバラだったピンの並べ方や本数を統一しました。このことから、現在のボウリングの原型を作った人物と考えられています。

Question

問023

1533年にモスクワ大公に就任し、専制政治を推し進めたことから「雷帝（らいてい）」と呼ばれる、ロシア帝国の事実上の創設者は誰でしょう？

問024

1661年に即位し、三藩（さんぱん）の乱を平定するなど清（しん）朝の安定をもたらした、第4代皇帝は誰でしょう？

問025

1643年から1715年まで在位したフランス・ブルボン王朝第3代国王で、王朝の最盛期を築いたことから「太陽王」と呼ばれたのは誰でしょう？

問題

問026

『純粋理性批判』『実践理性批判』『判断力批判』の三大批判書を著し、批判哲学を展開した18世紀ドイツの哲学者は誰でしょう？

問027

1791年にハイチで起こったラテンアメリカ地域最初の独立運動を指導し、1801年に事実上の独立を宣言した人物は誰でしょう？

問028

フランス皇帝ナポレオンが生まれた島はコルシカ島ですが、亡くなった島は「何島」でしょう？

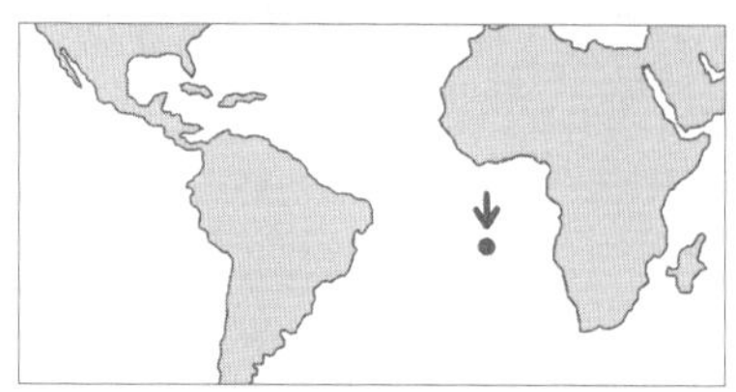

答023

イヴァン4世

解説

イヴァン4世は皇帝の称号である「ツァーリ」をロシアで初めて正式に戴冠(たいかん)された人物であり、これを初めて使った人物は彼の2代前のモスクワ大公・イヴァン3世です。イヴァン4世の政策としては農奴制(のうどせい)の強化や、シベリア進出などによる領土拡大などがあります。

答024

康熙帝(こうきてい)

解説

第5代皇帝の雍正帝(ようせいてい)、第6代皇帝の乾隆帝(けんりゅうてい)にかけて、清王朝はどんどん勢力を拡大していきました。
康熙帝は漢字を収録した『康熙字典(こうきじてん)』や百科事典の『古今図書集成(ここんとしょしゅうせい)』などを作らせた一方で、文字(もんじ)の獄という言論・思想弾圧も行いました。

答025

ルイ14世

解説

「ルイ」と名の付くフランス国王には、14世の父であり先代の王であったルイ13世、14世の曾孫であり次代の王であったルイ15世(最愛王と呼ばれた)、15世の孫でその次の王であったルイ16世(マリー・アントワネットの夫)などがいます。

答026

（イマヌエル・）カント

解説

認識とは理性が与えた形式で経験を理解することであるとして、理性を軸に経験論や合理論を総合する形で批判哲学を展開し、ドイツ観念論哲学の基礎を作りました。
似た名前の哲学者に、社会学を創始した19世紀フランスの哲学者オーギュスト・コントがいます。間違えないようにしましょう。

答027

トゥサン・ルヴェルチュール

解説

彼自身はナポレオン軍に敗れ、幽閉先のフランスで1803年に亡くなってしまいますが、その翌年1804年にハイチは独立を達成しました。しかし独立後もフランスによる経済制裁を受けたため、ハイチの財政は困窮（こんきゅう）していました。
なお、独立以前のハイチにあたるイスパニョーラ島西部はサン＝ドマングと呼ばれていました。

答028

セントヘレナ島

解説

ナポレオンは1814年に退位させられた時に一度、イタリア領（当時はフランス領）エルバ島に追放されました。その後フランスに戻って復位するも、1815年にもう一度、イギリス領のセントヘレナ島に追放されることとなりました。ちなみにセントヘレナ島は大西洋に浮かぶ孤島で、ナポレオンがまた戻ってくることがないようにという思いが感じられます。

問029

インド大反乱の指導者の一人である王妃で、勇敢な姿から「インドのジャンヌ・ダルク」と呼ばれた人物は誰でしょう？

問030

1839年に即位するとギュルハネ勅令を出し、タンジマートという政治改革を行った、オスマン帝国第31代スルタンは誰でしょう？

問031

宣教師として南アフリカに赴任した際に南部アフリカの内陸部を訪れ、これが結果的にヨーロッパ諸国によるアフリカの植民地分割政策につながったスコットランドの探検家は誰でしょう？

問032

狂犬病などの研究を行い、ワクチンを用いた予防接種を開発した、「近代細菌学の開祖」などと呼ばれるフランスの化学者は誰でしょう？

問033

1853年から1856年にかけてロシアとオスマン帝国が争った戦争で、ここでナイチンゲールが傷病兵の看護を行ったことで知られるのは何戦争でしょう？

問034

「青年イタリア」の一員として活動したのち、1859年のイタリア統一戦争に赤シャツ隊を率いて参加し、占領したシチリアなどを献上することでイタリア統一に貢献した人物は誰でしょう？

答029

ラクシュミー・バーイー

解説

インド中部にあった小王国ジャーンシーの王妃であり、現在でもインドの国民的英雄とされています。武器を持ち馬に乗る姿の銅像がインド国内各地に建てられているほか、彼女が残したとされる「我がジャーンシーは決して放棄しない」という言葉もよく知られています。

答030

アブデュルメジト1世

解説

ギュルハネ勅令は、オスマン帝国の国民は宗教を問わず法の下で平等とするという宣言で、イスタンブールのトプカプ宮殿にあるバラ園の名前にちなんでいます。

答031

（デイヴィッド・）リヴィングストン

解説

ヨーロッパ人にとって当時のアフリカ内陸部は「暗黒大陸」と呼ばれるほどの未開の地でしたが、彼が正確な地図を作り詳細な報告を行ったことにより、ヨーロッパの植民地支配を推し進めるきっかけとなりました。

答032

（ルイ・）パスツール

解説

現在もパリにあるパスツール研究所の名の由来になった人物で、「科学には国境はないが、科学者には祖国がある」という名言を残したことでも知られています。
細菌学の先駆けを作った人物としてはほかに、結核菌やコレラ菌を発見し、ツベルクリン検査を考案したドイツのロベルト・コッホが知られています。

答033

クリミア戦争

解説

黒海に突き出たクリミア半島を舞台とし、セヴァストーポリ要塞が最大の激戦地となりました。講和条約のパリ条約により、黒海の中立化などが定められました。
「クリミアの天使」などと称されるナイチンゲールの活動は、その後アンリ・デュナンが国際赤十字を設立するきっかけになりました。彼女の誕生日5月12日は「国際看護師の日」になっています。

答034

ガリバルディ

解説

これによって1861年、イタリア王国はヴィットーリオ・エマヌエーレ2世を国王に、カヴールを首相にして成立しました。ガリバルディはカヴール、マッツィーニとともに「イタリア統一の三傑」に数えられるほどの英雄となり、現在でもイタリア各地に彼の名を冠した地名や銅像などがあります。

問035

1863年、アメリカ南北戦争における最大の激戦地となったペンシルベニア州の村で、リンカーン大統領が「人民の人民による人民のための政治」という演説を行ったことで知られるのはどこでしょう？

問036

「鉄血宰相（てっけつさいしょう）」という異名がある、プロイセン首相としてドイツ統一を達成し、1871年にドイツ帝国初代宰相となった政治家は誰でしょう？

問037

ハワイ王国の初代国王はカメハメハ1世ですが、最後の国王である女王は誰でしょう？

問038

1899年、それまでの対外政策を改める「門戸開放宣言（門戸開放通牒）」を発表した当時のアメリカの国務長官は誰でしょう？

問039

辛亥革命で退位した清朝最後の皇帝で、その後満州国の皇帝に擁立されたのは誰でしょう？

問040

1912年に中華民国の臨時大総統に就任し、1924年には第一次国共合作を実現させた、「中国革命の父」と呼ばれた政治家は誰でしょう？

答035

ゲティスバーグ

解説

リンカーンは同年1月『奴隷解放宣言』を発表したことでもよく知られていますが、南北戦争終結直後、ワシントンのフォード劇場で暗殺されてしまいました（アメリカ大統領史上初めて暗殺された人物となりました）。
ちなみに、ハリウッド俳優のトム・ハンクスは、リンカーンの母親一族の末裔（まつえい）にあたります。

答036

（オットー・フォン・）ビスマルク

解説

首相に就任した1862年に行った演説で「（現行の問題は）鉄と血によってのみ解決される」と述べたことからこのような異名がつきました。
ちなみに、ビスマルクはたいへんな卵好きだったといわれ、半熟卵を乗せたピザやステーキのことを「ビスマルク風」といいます。

答037

リリウオカラニ

解説

1795年に成立したカメハメハ朝が、全島を統一して1810年にハワイ王国が樹立されました。その後1893年に起きたクーデターで臨時政府が成立し、1898年にアメリカ50番目の州として併合されました。
なお、リリウオカラニは有名なハワイ民謡『アロハオエ』を作った人物としても有名です。

答038

ジョン・ヘイ

解説

門戸開放宣言（通牒）とは、モンロー主義による孤立主義を取っていたアメリカが、中国進出に向けて門戸開放・機会均等・領土保全の三原則を掲げたものです。
ちなみに、彼と名前がよく似た人物に「ジョン・ケイ」がいます。こちらは産業革命の中で「飛び杼（ひ）」という織機を開発した18世紀イギリスの発明家です。

答039

愛新覚羅溥儀（あいしんかくらふぎ）［宣統帝（せんとうてい）］

解説

「愛新覚羅」までが苗字なので単に「溥儀」と呼ばれることも多く、中国の皇帝としての名前である宣統帝、満州の皇帝としての名前である康徳帝と呼ばれることもあります。
なお、彼の生涯は映画『ラストエンペラー』に描かれたことでも知られているほか、晩年に書かれた自伝『我が半生』からもうかがい知ることができます。

答040

孫文（そんぶん）

解説

孫文は中国革命の理論として「三民（さんみん）主義」を唱えました。これは「民族主義」「民権主義」「民生主義」をまとめたものです。彼の遺言「革命未だ成らず」もよく知られています。
また、孫文らが1905年に結成した中国同盟会は、その後の辛亥革命の中心となる重要な組織なので、併せて覚えておきましょう。

問041

1918年、秘密外交の廃止や国際連盟の設立などを盛り込んだ「十四カ条の平和原則」を発表し、実際に国際連盟が設立された1919年にはノーベル平和賞を受賞している、アメリカの第28代大統領は誰でしょう？

問042

1922年にスルタン制を廃止してオスマン帝国を解体し、トルコ共和国を成立させて初代大統領となった、トルコ革命の中心人物は誰でしょう？

問043

1928年に奉天軍閥を掌握すると国民政府支持を表明し、1936年に西安事件を起こした政治家は誰でしょう？

問題

問044

1926年に国民革命軍総司令官に就任し北伐(ほくばつ)を開始するも、翌年上海(しゃんはい)クーデターを起こして南京(なんきん)国民政府主席となり、台湾に中華民国国民政府を作った指導者は誰でしょう？

問045

20世紀のインドで「非暴力・不服従（サティヤーグラハ）」を掲げて独立運動を展開し、「インド独立の父」と呼ばれた社会運動家は誰でしょう？

問046

1945年、インドネシアの独立運動を主導し、同国の初代大統領を務めた政治家は誰でしょう？

答041

（ウッドロウ・）ウィルソン

解説

ただし、アメリカは上院からの反対によりヴェルサイユ条約を批准（ひじゅん）できず、国際連盟に加盟することはできませんでした。
なお、彼が掲げた政治理念を「新しい自由（ニュー・フリーダム）」といい、企業の規制、労働・福祉立法などが提案されました。また、彼の外交政策は「宣教師外交」と呼ばれました。

答042

ムスタファ・ケマル［ケマル・パシャ］

解説

トルコ大国民議会から与えられた「アタテュルク（父なるトルコ人の意）」という尊称でも知られています。オスマン帝国は第一次世界大戦後セーヴル条約により権力を失っていましたが、彼が締結にこぎつけたローザンヌ条約でトルコ共和国として独立を保つことができました。

答043

張学良（ちょうがくりょう）

解説

彼の父であり、奉天軍閥の初代首領であった張作霖（ちょうさくりん）は、1928年に日本の関東軍によって爆殺されました。それまで北伐軍と戦っていた張学良は、この張作霖爆殺事件（奉天事件ともいう）を機に中国統一へ努めることとなります。
西安事件は張学良らが蒋介石（しょうかいせき）（答044、P149参照）を監禁し、内戦停止と抗日戦を要求した事件です。

Answer

解答

答044

蒋介石（しょうかいせき）

解説

「北伐」とは中国統一を目指す国民革命軍が行った、北部の軍閥との戦いのこと。上海クーデターにより一度頓挫するも再開、北京を占領して中国統一を達成しました。
ちなみに蒋介石は孫文の死後、中国の国民革命の指導者になったわけですが、もともと彼は孫文が設立した士官学校・黄埔（こうほ）軍官学校で校長に任命されていたという経緯があります。

答045

（マハトマ・）ガンディー

解説

彼が行った運動の中でも特に有名なのが1930年の「塩の行進」です。約360kmを歩きながら、海水から塩を作るという行進で、これにより反英独立運動がさらに高まっていきました。
なお、現在でもガンディーはインドの国民から親しまれており、彼の誕生日である10月2日はインドの国民の休日になっています。

答046

スカルノ

解説

彼の次に大統領を務めたスハルトと名前がよく似ているため間違えやすいです。
ちなみにセレブタレントとして活躍する「デヴィ夫人（デヴィ・スカルノ）」は彼の第三夫人にあたります。

問047

ベトナム独立同盟会（ベトミン）を結成し、1945年に独立を果たすと初代大統領に就任した、「ベトナム独立の父」と呼ばれる政治家は誰でしょう？

問048

タキン党の書記長として活動し、ビルマ（ミャンマー）の独立運動を率いて「ビルマ建国の父」と呼ばれた指導者は誰でしょう？

問049

1960年代のアメリカで黒人解放運動や公民権運動の中心となった、元々はプロテスタントの牧師であった指導者は誰でしょう？

問050

中国の文化大革命の中心となった「四人組」の一人である、毛沢東（もうたくとう）と結婚した元女優は誰でしょう？

答047

ホー・チ・ミン

解説

ベトナムは彼の指導のもと、インドシナ戦争でフランスと、ベトナム戦争でアメリカと争うこととなります。特にインドシナ戦争は、ベトナム北西部の町ディエンビエンフーが激戦地となったことや、ジュネーヴ休戦協定により暫定軍事境界線の北緯17度線が制定されたことで知られています。
彼の活躍により、ベトナム最大の都市「サイゴン」は「ホーチミン」に名を改めました。なお、しばしば間違えられがちですが、ベトナムの首都はホーチミンではなくハノイです。

答048

アウン・サン

解説

ビルマの独立運動を率い、1947年にはイギリスのアトリー首相と独立協定を結びましたが、独立を目前に暗殺されてしまいました。彼の娘であるアウン・サン・スー・チーも民主化運動の指導者として活動しましたが、ミャンマーでクーデターが発生したことにより犯罪者として取り扱われることとなり、何度も自宅軟禁を強いられています。
なお、「ビルマ」という国名が「ミャンマー」に改められたのは、民主化運動後の1989年のことです。

答049

キング牧師［マーティン・ルーサー・キング・ジュニア］

解説

ガンジーの非暴力主義に影響を受けたキング牧師は、南部キリスト教指導者会議を結成し、黒人の公民権運動を指導しました。特に1963年に行った演説「I Have a Dream（私には夢がある）」は名スピーチとして広く知られています。1964年にはノーベル平和賞を受賞しましたが、1968年に遊説先のメンフィスで暗殺されてしまいました。

なお、穏健派であったキング牧師と同時期に活動していた人物にマルコムXがおり、彼は急進派として非暴力主義に批判的な立場を取っていました。

答050

江青（こうせい）

解説

四人組とは毛沢東を補佐する形で文化大革命を推し進めた江青、王洪文（おうこうぶん）、張春橋（ちょうしゅんきょう）、姚文元（ようぶんげん）のことをいいます。反対派を徹底的に弾圧するなどして勢力を伸ばしましたが、1976年に毛沢東が亡くなると、跡を継いで首相に就任した華国鋒（かこくほう）が四人全員を逮捕し、革命は終焉を迎えることとなりました。

MEMO

05

Question

問001

南・東アフリカで発見され、約400万年前から200万年前まで生息していたと考えられる猿人(えんじん)を、「南の猿」という意味の言葉から何というでしょう?

問002

ウルなどの都市国家を作り、メソポタミア地域に最古の都市文明を築いた民族を「何人」というでしょう?

問003

1940年、穴に落ちた犬を助けようとした少年が偶然発見した、旧石器時代の色鮮やかな壁画が残っているフランスの洞窟は何でしょう?

問題

問004

エーゲ文明のひとつで、別名をミノア文明ともいう、クノッソスという都市を中心に栄えたもののことを、クノッソスが位置した現在のギリシャの島にちなんで何というでしょう？

問005

古代ギリシャのポリスで、神殿などが作られた中心部分の丘のことを何というでしょう？

問006

代表作に『蛙（かえる）』や『女の平和』などがある、古代ギリシャ・アテネで活躍した喜劇作家は誰でしょう？

答001

アウストラロピテクス

解説

有名な化石人類には他に、インドネシアで発見された原人のジャワ原人、中国で発見された北京原人、ドイツで発見された旧人のネアンデルタール人、フランスで発見された新人のクロマニョン人などがあります。日本でも、静岡県で発見された三ヶ日人や兵庫県で発見された明石人などがあります（この2つの化石人類は、どの進化段階に属するかまだ明確にはわかっていません）。

答002

シュメール人

解説

シュメール人は青銅器や楔形文字を発展させたことでも知られています。最後の王朝であるウル第3王朝がメソポタミア全域を支配するなど勢力を広げましたが、その後アッカド人やアムル人に取って代わられ、アムル人によりバビロン第1王朝が作られていきます。

答003

ラスコー洞窟

解説

同じく旧石器時代後期の代表的な洞穴絵画に、スペイン北部に位置するアルタミラ洞窟があります。こちらは天井にまで動物などの絵が写実的に描かれており、1879年に地主の娘が発見したものです。ちなみにどちらの洞窟も、ユネスコの世界文化遺産に登録されています。

答004

クレタ文明

解説

クレタ文明はイギリス人考古学者エヴァンズが発見したことで知られています。
また、エーゲ文明にはほかにミケーネ文明やトロイア文明などがあり、これらはドイツ人考古学者シュリーマンが発見しました。ちなみにシュリーマンは世界旅行の最中に日本にも滞在しており、横浜や八王子を見物したそうです。

答005

アクロポリス

解説

アクロポリスには守護神がまつられ、非常時には最後の拠点となりました。なお、同じくポリスの中心部分にあたる広場のことを「アゴラ」といいます。アゴラでは交易や集会、裁判などが行われました。また、ポリスが形成される元となった、有力者の指導のもと人々がまとまって移り住んだことを「集住（しゅうじゅう）（シノイキスモス）」といいます。

答006

アリストファネス

解説

アテネの喜劇作家としては彼が最も有名ですが、悲劇作家としてはアイスキュロス、エウリピデス、ソフォクレスの3人が「三大悲劇詩人」と称されています。なおアイスキュロスは、ヒゲワシが甲羅を割って食べるために落としたカメが頭にぶつかって亡くなったといわれています。

問007

ギリシャ最古とされる叙事詩『イリアス』や『オデュッセイア』を書いた、紀元前8世紀頃に生まれたとされる詩人は誰でしょう？

問008

万物の根源を水とした、イオニア学派の祖である古代ギリシャの哲学者は誰でしょう？

問009

「街道の女王」とも呼ばれる、当初はローマ～カプア間、最終的にはローマ～ブルンディシウム間を結んでいた、ローマ最古の街道は何でしょう？

問010

「死者の大通り」に建つ太陽のピラミッドや月のピラミッドが特徴的な、古代文明が栄えたメキシコ高原の遺跡は何でしょう？

問011

現在のアルジェリアで生まれ、『告白［告白録］』や『神の国』などの著書を残し「教会博士」の称号を持つ、キリスト教の教父（きょうふ）は誰でしょう？

問012

初期キリスト教美術を代表する壁画などが残されている、キリスト教徒の礼拝所として用いられていた地下墓所のことを、イタリア語で何というでしょう？

答007

ホメロス

解説

同時期の詩人に『神統記(しんとうき)』や『労働と日々』を書いたヘシオドスがいます。なお、日本で「弘法(こうぼう)にも筆の誤り」ということわざを、英語では「ホメロスでも時には居眠りする」といいます。

答008

タレス［タレース］

解説

タレスは紀元前585年の日食を予言したとも伝えられています。
万物の根源（アルケー）をあるものと説いた哲学者は多く、ピタゴラスは数、ヘラクレイトスは火、デモクリトスは原子（アトム）、エンペドクレスは地・水・火・空気の四つ、アナクシマンドロスは限定されないもの（アペイロン）としました。

答009

アッピア街道

解説

フォロ・ロマーノを起点に約1480メートル（1ローマ・マイル）ごとに設置された「マイルストーン（里程標）」は現在でも観光スポットとして残っています。
同じ頃の建造物に、南フランスにある石造水道橋のガール水道橋や、ローマにあるカラカラ浴場などがあります。

答010

テオティワカン

解説

テオティワカンとは、現地の言葉で「神々の都市」という意味です。マヤ文明の遺跡であるチチェン・イッツァ（「泉のほとりの水の魔術師」の意味）、アステカ王国の都であったテノチティトラン（「石のように硬いサボテン」の意味）と混同しやすいので気をつけましょう。

答011

アウグスティヌス

解説

彼の思想はのちのスコラ哲学や宗教改革などにも影響を与えました。なおアウグスティヌスを「教会博士」と認定したのは、アナーニ事件で憤死したボニファティウス8世です（第1章答017、P15参照）。
似たような名前の、紀元前27年にローマの元老院がオクタウィアヌスに贈った称号「アウグストゥス」と間違えないようにしましょう。

答012

カタコンベ

解説

「窪地（くぼち）のかたわら」という意味のラテン語にちなんでおり、主に3〜4世紀頃に作られました。ローマにある最も大きなものでは総延長560kmにも及ぶといいます。他にイタリアのパレルモやフランスのパリなど、ヨーロッパ各地に点在していますが、遠く離れた南米の国ペルーにも存在します。

問013

サササン朝ペルシアでは国教になっていた、『アヴェスター』を教典とし、最高神アフラ・マズダ、暗黒神アーリマンによる善悪二元論などを説く宗教は何でしょう？

問014

イスラム教において、第4代正統カリフのアリーとその子孫のみを指導者と考える派閥のことを何というでしょう？

問015

「死人の丘」といった意味合いがある、現在のパキスタンに位置し最大で4万人近くが生活していたと考えられている、インダス文明最大級の遺跡は何でしょう？

問016

インドにおいて古くから用いられた身分制度「ヴァルナ」において、神聖視される一番上の階級を何というでしょう？

問017

「アーガマ」を聖典とする、紀元前5世紀頃にインドのマハーヴィーラ［ヴァルダマーナ］が創始した宗教は何でしょう？

問018

4世紀から5世紀にかけて作られ、ヒンドゥー教の聖典としての側面も持つ、「世界で最も長い叙事詩」ともいわれるインドの叙事詩は何でしょう？

答013

ゾロアスター教

解説

火を神聖視することから「拝火教（はいかきょう）」という呼び方もあります。アーリマンと聞くと一つ目の悪魔を連想する方もいるかもしれませんが、ゾロアスター教では爬虫類の姿でこの世に現れるとされています。また、自動車メーカー・マツダの英語表記が「MAZDA」であるのは、このアフラ・マズダにちなんでいます。

答014

シーア派

解説

これに対し、ムハンマドの言行に従うことを重視する派閥を「スンナ派（スンニ派）」といいます。現在、世界のイスラム教徒の8割以上はスンナ派と推計されています。シーア派はイランやイラク、アゼルバイジャンなどに多く住んでいます。また、シーア派の中でも最大の宗派を「十二イマーム派」といいます。

答015

モヘンジョダロ［モエンジョ・ダーロ］

解説

同じくインダス文明の代表的な遺跡に「ハラッパー」があります。こちらも現在のパキスタンにあたり、モヘンジョダロに比べてインダス川の少し上流に位置します。なお、モヘンジョダロは発見以降風化などで少しずつ崩れていることが確認されていましたが、2022年の洪水によって大きく損壊してしまいました。

答016

バラモン

解説

上からバラモン、クシャトリヤ、ヴァイシャ、シュードラの4つに分けられます。バラモンが執り行う祭式を中心とした宗教をバラモン教といい、これがのちのヒンドゥー教になっていきました。
なお、出自や世襲の職業に基づく身分制度をジャーティといい、ヴァルナとジャーティが結びついたものがカースト制度です。

答017

ジャイナ教［ジナ教］

解説

アヒンサーと呼ばれる厳しい不殺生(ふせっしょう)主義や厳格な苦行・禁欲主義が特徴的な宗教で、現在でも西インドを中心に、特に商人層に信者が分布しています。
なお、インドのマウリヤ朝を建てたチャンドラグプタが、このジャイナ教を厚く信仰したことでよく知られています。

答018

『マハーバーラタ』

解説

聖書の4倍近い長さを誇る叙事詩です。3～4世紀に作られたとされる『ラーマーヤナ』とともに、インドにおける二大叙事詩といわれています。
『マハーバーラタ』の著者はヴィヤーサと伝えられていますが、1人で書き切れる分量でないこともあり、正確にはわかっていません。『ラーマーヤナ』の著者はヴァールミーキとされています。

問019

5世紀から13世紀までインド東部で運営された、仏教を学ぶ中心地となっていた学校を何というでしょう？

問020

歴史書の形式のひとつで、『史記』や『漢書』などのように、王などの支配者の歴史と、それ以外の人物の歴史をもとにして書かれたもののことを何というでしょう？

問021

「国破れて山河在り」で始まる漢詩『春望』などの作品を残し「詩聖」と称された、中国・唐の詩人は誰でしょう？

問022

11世紀にペルシアの詩人ウマル・ハイヤームが著し、四行詩を集めたことから日本語では『四行詩集』とも呼ばれる詩集を、アラビア語で何というでしょう？

問023

ローマ法の研究で知られる、1088年にイタリアで設立された、世界最古の大学は何大学でしょう？

文化・文明

問024

ルネサンス期のドイツでグーテンベルクが考案し、「ルネサンスの三大発明」のひとつに数えられる印刷術を何というでしょう？

答019

ナーランダー僧院

解説

一度イスラム勢力によって破壊されてしまいますが、その後一部修復され、1400年頃まで存続したと伝えられています。なお、『西遊記』に三蔵法師として登場する玄奘や『南海寄帰内法伝』を表した義浄など、中国から学びに来た僧もいました。

答020

紀伝体

解説

支配者の歴史を本紀、それ以外の人物の歴史を列伝といったことに由来します。これに対し、年月を追って出来事を記す形式のことを編年体といいます。

日本の歴史書は編年体で書かれることが多いですが、徳川光圀らによって編纂された『大日本史』は珍しく紀伝体で書かれたものとして知られています。

答021

杜甫

解説

同じく唐代に活躍し「詩仙」と呼ばれた李白や、「詩仏」と呼ばれた王維と混同されがちです。「徒歩で歩くと姿勢がよくなる」「視線が集まり白い目で見られる」「私物が多い」などと覚えるとわかりやすいかもしれません。

余談ですが、飲料メーカーのサンガリアの社名は、この漢詩の一節「山河在り」に由来します。

答022

『ルバイヤート』

解説

日本には詩人の蒲原有明(かんばらありあけ)による邦訳版やラフカディオ・ハーン（小泉八雲）による大学での講義によって紹介されました。
ウマル・ハイヤームは数学や天文学にも精通した人物で、太陽暦の一種であるジャラーリー暦の制定にも携わったことで知られています。

答023

ボローニャ大学

解説

1158年には神聖ローマ皇帝フリードリヒ１世により自治権を認められるほどの影響力を持ちました。この他の中世ヨーロッパの著名な大学には、神学を教えていたフランスのパリ大学や医学を教えていたイタリアのサレルノ大学、イギリスのオクスフォード大学やケンブリッジ大学などがあります。

答024

活版(かっぱん)印刷術

解説

活字を組み合わせて原版を作るという、こんにちの印刷技術につながるものでした。グーテンベルクが活版印刷術を使って最初に印刷した書物は聖書であり、現在でも日本の慶應義塾大学図書館などに現存しています。
ちなみに「ルネサンスの三大発明」の残りは羅針盤と火薬です。

問025

中国・元代に、フビライ・ハンの命を受けた郭守敬が作成した、イスラム暦の影響を受けた暦は何でしょう？

問026

日本語では「清教徒」ともいう、宗教改革により生まれた「カルヴァン派」のイングランドでの呼び方は何でしょう？

問027

ボッティチェリ、ミケランジェロ、レオナルド・ダ・ヴィンチなどの芸術家を支援し、ルネサンスを保護したフィレンツェの大富豪一族は何家でしょう？

問028

イングランド出身の13世紀のスコラ学者で、実験と数学の重要性を説き「実験科学」という言葉を用いたのは誰でしょう？

問029

14世紀のヨーロッパで何度も流行し、人口の大幅な減少を招いた疫病は何でしょう？

問030

著書『君主論』などで、政治は宗教や道徳から切り離すべきだという政治理論を展開した、ルネサンス期のイタリアの政治家は誰でしょう？

答025

授時暦（じゅじれき）

解説

明から清に代わる際に時憲暦（じけんれき）という暦が制定されるまで、350年以上使われました。
授時暦は日本の暦にも影響を与え、渋川春海（しぶかわはるみ／しゅんかい）によって貞享暦（じょうきょうれき）が作られる基礎となりました。
ちなみに冲方丁（うぶかたとう）の本屋大賞受賞作である『天地明察』（KADOKAWA）は、この渋川春海を主人公としています。

答026

ピューリタン

解説

のちにイギリス絶対王政を崩壊させる「ピューリタン革命」を起こしたことで知られます。フランスではユグノー、ネーデルラントではゴイセン、スコットランドではプレスビテリアンと呼ばれました。なおピューリタン革命とその後に続く名誉革命の際のイングランド王は、ジェームズ1世→チャールズ1世（ピューリタン革命で処刑）→チャールズ２世（王政復古により即位）→ジェームズ２世（名誉革命で退位）と似た名前が続くので覚え間違えないようにしましょう。

答027

メディチ家

解説

メディチ家の一人であったマリー・ド・メディシスは、ブルボン朝初代国王アンリ４世の王妃であり、ブルボン朝の起源になりました。
中世ヨーロッパで勢力を伸ばした一族には他に、オーストリアのハプスブルク家（第３章答020、P94参照）や、ドイツのフッガー家などがあります。

答028

ロジャー・ベーコン

解説

『大著作』『小著作』などを著し、「実験科学」という言葉を初めて使った人物という説があります。
16〜17世紀のイギリスで帰納法的思考法や「4つのイドラ」（種族のイドラ・洞窟のイドラ・市場のイドラ・劇場のイドラ）を説いたイギリスの哲学者フランシス・ベーコンと混同しないように気をつけましょう。

答029

ペスト［黒死病］

解説

7,500万人〜2億人が亡くなったと推定されており、人類史上最も死亡者が多いパンデミックといわれています。ボッカチオの物語集『デカメロン』は、ペストの流行から逃れるため引きこもった10人の男女が物語を話すという形を取っています。後年にはダニエル・デフォーやアルベール・カミュが『ペスト』という小説を書いています。

答030

（ニッコロ・）マキャヴェリ

解説

フィレンツェ共和政において軍事や外交を担当し、その経験から『君主論』『戦術論』などの著作を残しました。
彼の理論をもとにした権謀術数主義のことをマキャヴェリズムといい、転じて「目的のためには手段を選ばないやり方」のこともマキャヴェリズムと呼ばれるようになりました。

Question

問031

著書『天球の回転について』で、当時異端とされた地動説を唱えた16世紀ポーランドの天文学者は誰でしょう？

問032

1555年、宗教改革におけるルター派とカトリック派の対立を収束させるため、諸侯（しょこう）に対してどちらを信仰するかの選択権を認めた決定のことを何というでしょう？

問033

著書『リヴァイアサン』で、自然状態を「万人の万人に対する闘い」であると主張した、17世紀イギリスの政治学者は誰でしょう？

問題

問034

中国・清(しん)王朝が漢民族に強制した、後頭部の髪の毛だけを残して剃り、おさげのように結ぶ髪型のことを何というでしょう？

問035

1748年の著書『法の精神』において、国家権力を立法・司法・行政に分ける「三権分立」を唱えた、フランスの啓蒙思想家は誰でしょう？

問036

ポルトガル語で「ゆがんだ真珠」という意味があり、セント・ポール大聖堂やヴェルサイユ宮殿などに見られる、17世紀から18世紀にかけて栄えた建築様式は何でしょう？

答031

（ニコラウス・）コペルニクス

解説

地球の周りを太陽や他の惑星が回っていると考えるのが天動説、地球や他の惑星が太陽の周りを回っていると考えるのが地動説です。古代ギリシャの天文学者アリスタルコスなどは地動説を唱えていましたが、2世紀ごろにヒッパルコスやプトレマイオスが当時の知見を基に天動説を体系化したこともあり、コペルニクスの登場までは天動説が主流でした。その後、ガリレオ・ガリレイやヨハネス・ケプラーによって地動説が証明されていきます。

答032

アウクスブルクの和議

解説

1555年のアウクスブルク帝国議会で決定されたためこう呼びます。ただし、あくまでも諸侯に対してのみ認められたものであり、個人の信仰の自由は認められませんでした。また、ルター派かカトリック派かのいずれかを選ぶことが認められたものであり、カルヴァン派は認められていませんでした。

答033

（トマス・）ホッブズ

解説

「自然状態」とは政治が構成されていない場合、人間がどのような状態になるかを想定したもののことです。ホッブズは自然状態では人々が争いを続けてしまうため、1人に権利をすべて委ねるべきだと説きました。これに対しジョン・ロックは、自然状態は平和的な関係であるが、自由であるが故に混沌（こんとん）としてしまうので、政府を作り出す必要があると説きました。一方ジャン・ジャック・ルソーは、人民が1つになって政府を従わせる状態を理想としました。

答034

辮髪（べんぱつ）

解説

似たような風習に、唐代から行われた「纏足（てんそく）」があり、こちらは女子の足の指に布を巻きつけて成長を阻害させるというものでした。辮髪・纏足とも、「太平天国の乱」（第1章答035、P27参照）の太平天国が廃止を掲げ、辛亥（しんがい）革命の頃まで続けられたといわれています。

答035

（シャルル・ド・）モンテスキュー

解説

この三権分立という考え方はアメリカ合衆国憲法やフランス人権宣言にとり入れられるなど、のちの政治思想の根幹となっていきました。
ちなみに日本でも、日本国憲法において、立法権を持つのは国会、行政権を持つのは内閣、司法権を持つのは裁判所と定められており、三権分立の考え方が導入されています。

答036

バロック様式

解説

調和・均整が重視されたルネサンス期に対し、豪華で躍動的な表現を特徴としています。
バロック様式ののち、18世紀フランスを中心に栄えたのがロココ様式です。こちらは繊細で明るい表現が特徴で、代表的なものに、フリードリヒ2世によって建設されたドイツのサンスーシ宮殿などがあります。

Question

問037

ケネーやテュルゴーに代表される、18世紀のフランスを中心に展開された、農業こそが富を生み出す源泉であるとした経済思想を何というでしょう？

問038

スペイン語で「現地で育った」という意味合いがある、スペイン領の植民地であったラテンアメリカで生まれた白人のことをいった言葉は何でしょう？

問039

イギリスによる植民地化により大幅に人口を減らした、オーストラリアの原住民のことを指す言葉は何でしょう？

問題

問040

ヴァイマル公国の宰相を務めていたこともある、小説『若きウェルテルの悩み』や戯曲『ファウスト』などの作品で知られるドイツの作家は誰でしょう？

問041

1811年から1817年にかけてイギリスで発生した、産業革命による機械化が進むことで失業を恐れた労働者たちが機械を打ち壊して回った運動を何といったでしょう？

問042

1825年、ストックトン・ダーリントン間でロコモーション号の運行に成功し、蒸気機関車の実用化を達成したイギリスの技術者は誰でしょう？

答037

重農主義

解説

彼らが「レッセ・フェール」(「なすに任せよ」の意）と唱えた自由放任主義は、その後アダム・スミスらに引き継がれ資本主義の基本理念になっていきました。
これに対し、ルイ14世の財務総監だったコルベールに代表される、貿易などの商業活動を重視する経済思想を重商主義といいます（第3章問026、P96参照)。

答038

クリオーリョ

解説

クリオーリョを代表する人物としては、ベネズエラの独立運動を主導したシモン・ボリバル、アルゼンチンの独立運動を主導したサン＝マルティン、メキシコの独立運動を主導したイダルゴなどがいます。
なお、白人と先住民の混血をメスティーソ（メスチソ)、白人と黒人の混血をムラートといいました。

答039

アボリジニ

解説

ラテン語で「最初から」を意味する「Ab origine」に由来しており、英単語の「オリジナル（original)」と語源が同じです。一時は迫害などにより人口が激減していましたが、1967年に市民権が認められ、現在はオーストラリアの総人口の約2%を占めています。
ニュージーランドの原住民であるマオリ族と混同しないように気をつけましょう。

答040

（ヨハン・ヴォルフガング・フォン・）ゲーテ

解説

彼を中心に1770年代ドイツで起きた文学運動を「シュトゥルム・ウント・ドランク」（疾風怒濤とも）といいます。
彼の出身地フランクフルトから、ヴァイマルなどを経由しライプツィヒまでを結ぶ「ゲーテ街道」は近年観光街道として人気を集めています。

答041

ラッダイト運動

解説

この名前はイギリスの伝説上の織工であるネッド・ラッドにちなんでいます。実在したかどうかは定かではありませんが、機械を破壊した人々が彼の名を名乗ったことからこう呼ばれるようになりました。

答042

（ジョージ・）スチーブンソン［スティーヴンソン］

解説

彼はその後息子のロバートとともにリバプール・マンチェスター間で蒸気機関車のロケット号の営業運転を成功させました。なお、この息子と『ジキル博士とハイド氏』の作者ロバート・L・スチーブンソンは別人です。
同じ頃、アメリカの技術者フルトンは外輪式蒸気船の開発を行い、蒸気機関車などとともに「交通革命」と呼ばれました。

問043

1848年にエンゲルスとともに『共産党宣言』を発表し、その後の社会主義思想に大きな影響を与えた、ドイツの哲学者は誰でしょう？

問044

1852年にストウ夫人が発表し、奴隷制度の悲惨さを描いたことからアメリカ南北戦争のきっかけとなった小説は何でしょう？

問045

19世紀後半にヨーロッパで盛んになった、写実主義を継承しつつ、社会や人間の抱える問題を科学的に分析・表現しようとした文芸理論のことを「何主義」というでしょう？

問046

「最大多数の最大幸福」を掲げ、人々の行動は利益と幸福を得ることを目的とするという功利(こうり)主義を創始した、イギリスの哲学者は誰でしょう？

文化・文明

答043

（カール・）マルクス

解説

マルクスは支配階級（ブルジョワジー）と労働者階級（プロレタリア）との対立によって資本主義が崩壊し、社会主義へと変革されると予測しており、その後の社会主義思想に大きな影響を及ぼしました。また、『ヘーゲル法哲学批判』の序章に寄せた「宗教は大衆のアヘンである」という言葉でも知られています。
1798年に『人口論』を著したイギリスの経済学者トマス・ロバート・マルサスとの混同に気をつけましょう。

答044

『アンクル・トムの小屋』

解説

黒人奴隷のトムの生涯を描いた作品です。日本では小説家・文芸評論家の丸谷才一や、2014年の朝のNHK連続テレビ小説『花子とアン』で主人公として描かれた児童文学者の村岡花子によって翻訳されました。
南北戦争の最中、リンカーン大統領はストウ夫人と面会し、「あなたのような小さな女性が、この大きな戦争を引き起こしたのですね」と言ったというエピソードが知られています。

答045

自然主義

解説

『居酒屋（いざかや）』で知られるエミール・ゾラ、『女の一生』で知られるギ・ド・モーパッサン、『人形の家』で知られるヘンリック・イプセンなどに代表されます。イプセンの創作した劇『ペール・ギュント』に使用されているグリーグの代表曲『朝（朝の気分）』は、学校などで耳にしたことがある人もいるかもしれません。
日本の文学にも影響を与え、『破戒（はかい）』を書いた島崎藤村（しまざきとうそん）や『蒲団（ふとん）』を書いた田山花袋（たやまかたい）などがその代表作として知られます。

答046

（ジェレミ・）ベンサム

解説

この頃の哲学者としては、弁証法的唯物論を説いたマルクス（答043、P186参照）、ドイツ観念論哲学を大成したヘーゲル、実証主義を体系化したコントなどがいます。また、ベンサムの量的功利主義に対して、質的功利主義を創始した人物にジョン・スチュアート・ミルがいます。
また、ベンサムは「パノプティコン」という刑務所の構造を設計したことでも知られています。これは中央に看守（かんしゅ）を置き、各部屋を円形に配置することで、看守がすべての収容者を監視できるようにしたシステムです。

問047

1911年、人類史上初めて南極点に到達した、ノルウェーの探検家は誰でしょう？

問048

中国・文学革命の中心となった、1915年に創刊され、胡適（こてき）や魯迅（ろじん）らの作家が活躍した啓蒙（けいもう）雑誌は何でしょう？

問049

著書『プロテスタンティズムの倫理と資本主義の精神』で、合理的な近代資本主義とプロテスタントの宗教倫理の関係を論じた、ドイツの社会学者・経済学者は誰でしょう？

問050

スペイン出身の画家ピカソが、1936年から1939年にかけて発生したスペイン内戦の無差別爆撃に抗議するために描いた、彼を代表する大きな絵画作品は何でしょう？

答047

（ロアール・）アムンゼン［アムンセン］

解説

2番目に南極点に到達したイギリスのスコットとともに、1956年にアメリカが建設した南極観測基地に「アムンゼン・スコット基地」として名を残しています。ちなみに日本人で初めて南極点に到達したのは、村山雅美（まさよし）を隊長とする第9次越冬隊のメンバーです。
なお、人類史上初めて北極点に到達したのはアメリカのロバート・ピアリーと言われてきましたが、近年では彼が本当に到達したかどうかは疑問視されています。

答048

『新青年（しんせいねん）』

解説

主な掲載作品に、胡適による論文「文学改良芻議（すうぎ）」や、魯迅による小説『狂人日記（きょうじんにっき）』などがあります。
日本でも1920年に『新青年』という雑誌が創刊されましたが、こちらは江戸川乱歩（えどがわらんぽ）のデビュー作『二銭銅貨』や横溝正史（よこみぞせいし）の代表作の一つ『八つ墓村』といった探偵小説の掲載をはじめとする娯楽誌であり、中国の『新青年』とは趣向が異なります。

答049

マックス・ウェーバー［ヴェーバー］

解説

ウェーバーは社会の支配形態を、官僚制のように法律に従うことで成立する「合法的支配」・家父長制のように強い身分の者が弱い者を従わせることで成立する「伝統的支配」・超人的な資質を持った者が他の者を従わせることで成立する「カリスマ的支配」の3つに分類されると論じたことでも知られます。
なお、同じくマックス・ウェーバーという名前のドイツの生物学者もおり、生物地理学上の東洋区とオーストラリア区の境界に引かれる「ウェーバー線」に名を残しています。

答050

『ゲルニカ』

解説

ゲルニカとはスペイン北部にある町で、ドイツ軍の無差別爆撃により多くの犠牲者を出しました。ゲルニカの他に『泣く女』『アヴィニョンの娘たち』などの作品を残したピカソは生涯に14万点を超える作品を制作しており、「最も多作な美術家」としてギネスブックに掲載されています。
この『ゲルニカ』は戦争の悲惨さを伝える作品であることから、国連安全保障理事会の会議場前にレプリカが設置されています。

末廣隆典（すえひろたかのり）
1985年愛媛県生まれ。愛光学園高校卒業後、1年の浪人を経て東京大学文科三類に入学し、教育学部教育学コースを卒業。「クイズバースアール」にてクイズマスターとして出勤するかたわら、イベント「スアールマンスリーカップ」の問題監修を行うなど問題制作にも関わっている。「しーや」名義でバラエティ・クイズチャンネル『まる芸TV!!』でYouTuberとしても出演するほか、「冴戒椎也」名義でパズル作家・ボカロPとしても活動。2023年、TBSテレビ『東大王』の視聴者参加回初回に「東大卒クイズ作家」の肩書きで出演し、東大王チーム3名に早押しで勝利する。その他個人としての戦績に、クイズLIVEチャンネル『LOCK OUT!』#113決勝進出、フジテレビ『今夜はナゾトレ』視聴者クイズ年間Top5入りなど。チームとしてクイズ大会『AQL2019』全国大会進出、『天9』本戦進出、『イントロクイズナイト vol.10』優勝など。

東大式（とうだいしき）！クイズでわかる世界史（せかいし）

2024年2月9日　初版第1刷発行

著　者　末廣隆典
発行者　岩野裕一

発行所　株式会社実業之日本社
〒107-0062
東京都港区南青山6-6-22　emergence 2
電話　（編集）03-6809-0473
　　　（販売）03-6809-0495
https://www.j-n.co.jp/
印刷・製本　三松堂株式会社

装丁・デザイン　北風総貴（ヤング荘）
イラスト　あんのようすけ（ヤング荘）
校　正　ヴェリタ
プロデュース　株式会社スアール
編集協力　佐野千恵美
編　集　白戸翔（ニューコンテクスト）

ISBN978-4-408-65068-5（第二書籍）